Von Agatha Christie sind lieferbar:

Agatha Christie

Ein diplomatischer Zwischenfall

Scherz

Bern – München – Wien

Einzig berechtigte Übertragung aus dem Englischen
von Marfa Berger
Titel des Originals: »The Adventure of the Christmas Pudding«
                    »The Hound of Death«
Schutzumschlag von Heinz Looser
Foto: Thomas Cugini

8. Auflage 1982, ISBN 3-502-50880-1
Copyright © 1960 by Agatha Christie Ltd.
Gesamtdeutsche Rechte beim Scherz Verlag Bern und München
Gesamtherstellung: Ebner Ulm

Inhalt

1

»Ich bedauere außerordentlich —«, sagte Hercule Poirot.

Man unterbrach ihn; allerdings nicht grob, sondern zuvorkommend liebenswürdig, geschickt. Man versuchte ihn eher zu überreden, als ihm zu widersprechen.

»Bitte, lehnen Sie nicht von vornherein ab, Monsieur Poirot. Es geht hier um wichtige Staatsangelegenheiten. Ihre Mitarbeit wird in höchsten Kreisen Anerkennung finden.«

»Sie sind zu gütig«, winkte Hercule Poirot ab, »aber ich kann Ihrer Bitte auf keinen Fall Folge leisten. Während dieser Jahreszeit —«

Mr. Jesmond unterbrach ihn wieder. »Während der Weihnachtszeit . . .« Er suchte nach einem Köder. »Während eines traditionellen Weihnchtsfestes auf dem Lande —«

Hercule Poirot schüttelte sich. Die Vorstellung, die Weihnachtszeit in England auf dem Lande verbringen zu müssen, reizte ihn gar nicht.

»Ein schönes, geruhsames Weihnachtsfest«, wiederholte Jesmond noch einmal mit Nachdruck.

»Ich — ich bin kein Engländer«, antwortete Hercule Poirot. »Weihnachten ist in meiner Heimat ein Fest für Kinder. Wir Erwachsenen feiern hauptsächlich den Jahreswechsel.«

»Aha«, sagte Jesmond. »In England ist Weihnachten etwas ganz Besonderes. Ich verspreche Ihnen, Sie werden in Kings Lacey ein so schönes Weihnachtsfest erleben, wie Sie es noch nirgends besser erlebt haben. Wissen Sie, in einem wundervollen, alten Haus — ein Flügel des Hauses stammt sogar aus dem 14. Jahrhundert.«

Poirot schüttelte sich abermals. Der Gedanke an ein englisches Herrenhaus aus dieser Zeit weckte unangenehme Erinnerungen in ihm. Er hatte zu oft in alten englischen Landhäusern gefroren. Er sah sich dankbar in seiner modern eingerichteten, gemütlichen Wohnung um. Hier gab es Heizöfen und die neuesten technischen Errungenschaften, die jegliche Zugluft verbannten.

»Im Winter«, sagte er fest entschlossen, »bleibe ich in London.«

»Ich glaube, Sie sind sich nicht darüber im klaren, daß es sich um eine sehr wichtige Angelegenheit handelt, Monsieur Poirot.«

Jesmond sah seinen Begleiter an. Dann wandte er sich wieder Poirot zu. Dessen zweiter Besucher hatte bisher nur zwei höfliche, alltägliche Begrüßungsworte gemurmelt: »Guten Tag.« Er saß da und starrte auf seine gutgeputzten Schuhe. Äußerste Niedergeschlagenheit zeichnete sein kaffeebraunes Gesicht. Er war noch jung, nicht älter als dreiundzwanzig Jahre. Man sah ihm deutlich an, daß er sich elend fühlte.

»Ja, ja«, sagte Hercule Poirot. »Natürlich handelt es sich um eine ernste Sache. Ich beurteile die Lage durchaus richtig. Seine Hoheit können meines aufrichtigen Mitgefühls versichert sein.«

»Die Lage ist mehr als heikel.«

Poirot wandte seinen Blick von dem jungen Mann ab und blickte wieder dessen älteren Begleiter an. Hätte man Jesmond mit einem Wort charakterisieren wollen, dann mit der Bezeichnung »zurückhaltend«. Alles an Jesmond war zurückhaltend — seine gutgeschnittene, unauffällige Kleidung; seine angenehm disziplinierte, geschulte Stimme, die selten ihren wohltuend-monotonen Klang veränderte; sein hellbraunes Haar, das sich an den Schläfen schon etwas lichtete; sein blasses, ernstes Gesicht.

»Wie Sie wissen«, erläuterte Poirot, »kann die Polizei sehr verschwiegen sein.«

Jesmond schüttelte energisch den Kopf.

»Nein, die Polizei auf keinen Fall! Um das — um das, was wir wiederhaben wollen, zurückzubekommen, wird es wohl unvermeidlich sein, Prozesse zu führen. Doch wir haben noch keine Handhabe. Wir hegen zwar einen bestimmten Verdacht, wissen aber nichts Genaues.«

»Seien Sie meines Mitgefühls versichert«, sagte Hercule Poirot noch einmal.

Wenn er annahm, daß sich seine beiden Besucher damit zufriedengeben würden, täuschte er sich. Sie wollten kein Mitgefühl, sie wollten praktische Hilfe. Jesmond begann erneut die Vorzüge eines englischen Weihnachtsfestes aufzuzählen.

»Ein wirklich traditionelles Weihnachtsfest wird nur noch selten gefeiert. Heute begehen viele Leute das Fest in Hotels. Ein Weihnachten aber — mit versammelter Familie, mit den

Kindern, die sich mit ihren Strümpfen voller Geschenke beschäftigen, mit dem Christbaum, mit Truthahn und Plumpudding, den Weihnachtsplätzchen und dem Schneemann draußen vor dem Fenster . . .«

Hercule Poirot unterbrach ihn. Er liebte Genauigkeit.

»Um einen Schneemann zu bauen, braucht man Schnee«, sagte er mit ernster Miene. »Man kann selbst für ein wirklich englisches Weihnachtsfest keinen Schnee bestellen.«

»Ich sprach heute vormittag mit einem meiner Freunde aus dem meteorologischen Institut. Er erzählte mir, daß wir Weihnachten wahrscheinlich Schnee haben werden.«

Das hätte er nicht sagen sollen. Es schauderte Hercule Poirot noch heftiger als zuvor.

»Schnee auf dem Land! Das wäre ja furchtbar. Und dann noch in einem großen, uralten Herrenhaus aus Stein.«

»Das ist nicht schlimm. Es hat Zentralheizung. Man heizt mit Öl.«

»Es gibt in Kings Lacey eine Zentralheizung?« fragte Poirot.

Jesmond nutzte die Gelegenheit. »Ja, bestimmt, es ist eine ausgezeichnete Warmwasserheizung. In jedem Schlafzimmer stehen Heizkörper. Ich versichere Ihnen, mein lieber Monsieur Poirot, Kings Lacey ist der Komfort schlechthin für den Winter. Es könnte sogar sein, daß es Ihnen zu warm wird.«

»Das ist unwahrscheinlich.«

Jesmond änderte das Thema. Erfahrung hatte ihn klug gemacht. In vertraulichem Ton fuhr er fort: »Sie können sicherlich verstehen, in welchem Dilemma wir uns befinden.«

Hercule Poirot nickte. Es war tatsächlich kein leichtes Problem . . . Ein junger Thronanwärter war vor einigen Wochen nach London gekommen. Er war der einzige Sohn. Sein Vater regierte ein reiches, politisch wichtiges Land, in dem zur Zeit Unruhe und Unzufriedenheit herrschten. Obwohl die Untertanen dem Vater, der seine orientalischen Lebensgewohnheiten nicht ablegen konnte, die Treue hielten, hegten sie dem Sohn gegenüber ein gewisses Mißtrauen. Die Dummheiten, die er beging, waren kennzeichnend für seine westliche Erziehung und erregten öffentliches Mißfallen.

Vor einiger Zeit hatte man seine Vermählung angekündigt. Er sollte eine Kusine heiraten. Sie war jung. Obwohl sie in Cambridge studiert hatte, vermied sie es, in ihrer Heimat westliche Einflüsse in ihrem Benehmen zu zeigen.

Nachdem der Tag der Hochzeit bekanntgegeben worden war, reiste der junge Prinz nach England. Er nahm einige berühmte Juwelen seines Hauses mit, um sie von der Firma Cartier umarbeiten zu lassen. Die Edelsteine sollten eine geeignete, moderne Fassung erhalten. Unter diesen Steinen befand sich auch ein sehr berühmter Rubin, den man aus einer schwerfälligen, altmodischen Halskette gelöst hatte. Durch die Kunst der Juweliere sollte der Stein ein völlig neues Aussehen erhalten. Soweit war alles in Ordnung. Schwierigkeiten traten erst später auf ...

Daß sich ein reicher, fröhlicher, junger Mann ein paar amüsante Abenteuer leisten würde, hätte man sich denken können. Niemand hätte ihm das verübelt. Es wäre als natürlich und normal empfunden worden, wenn der Prinz mit einer Freundin die Bond Street entlanggebummelt wäre und ihr für die Freuden, die sie ihm gewährte, ein Smaragdarmband oder eine Brillantbrosche geschenkt hätte. Das entsprach den Cadillacs, die sein Vater jeweils seinen Geliebten schenkte.

Der junge Prinz handelte aber viel unüberlegter. Er zeigte einer Dame, deren Interesse ihm schmeichelte, den Rubin in seiner neuen Fassung. Und der Prinz war so unklug, ihr die • Bitte zu erfüllen, einen Abend lang das Schmuckstück tragen zu dürfen. Das Nachspiel war vorauszusehen und folgenschwer. Die Dame war während des Abendessens aufgestanden und hatte den Raum verlassen. Sie wollte sich angeblich nur die Nase pudern. Zeit war verstrichen, aber sie war nicht zurückgekommen. Sie hatte das Gebäude durch eine Hintertür verlassen. Seitdem war sie verschwunden — und mit ihr der Rubin.

Auf keinen Fall durfte die Öffentlichkeit davon erfahren. Der Rubin war nicht nur ein kostbares Schmuckstück, sondern besaß zusätzlich großen historischen Wert. Außerdem verlangten die Umstände, die zum Verlust des Schmuckstückes geführt hatten, daß jedes unnötige Aufsehen vermieden wurde, damit die Affäre nicht politisch schwerwiegende Konsequenzen nach sich zog.

Jesmond war nicht der Mann, der diese Tatsache kurz und bündig berichten konnte. Er packte sie in einen großen Wortschwall ein. Hercule Poirot wußte nicht, wer dieser Jesmond eigentlich war. Er erklärte auch nicht näher, ob er mit dem Innenministerium, dem Foreign Office oder irgendeinem Zweig des Staatssicherheitsdienstes in Verbindung stand. Er handelte im Interesse des Commonwealth... Kurzum — der Rubin mußte gefunden werden!

Und Monsieur Poirot sei der einzige Mann, der ihn wiederfinden könne, erklärte Jesmond höflich und entschieden.

»Vielleicht«, gab Hercule Poirot zu, »doch die Tatsachen, die Sie mir nennen, sind nicht aufschlußreich. Mit Vermutungen oder Verdächtigungen kann ich nichts anfangen.«

»Ich bitte Sie, Monsieur Poirot, solche Umstände sind doch für Sie kein unüberwindliches Hindernis.«

»Ich habe nicht immer Erfolg.«

Diese Bescheidenheit war nur gespielt. Poirots Stimme verriet deutlich, daß die Annahme eines Auftrags für ihn auch den erfolgreichen Abschluß eines Falles bedeutete.

»Seine Hoheit sind noch sehr jung«, sagte Jesmond. »Es wäre traurig, wenn eine einzige unüberlegte Tat in der Jugend deren ganze Zukunft zerstören würde.«

Poirot betrachtete den deprimierten jungen Mann freundlich.

»In der Jugend macht man manche Dummheit«, meinte er ermutigend. »Für einen x-beliebigen jungen Mann ist dies nicht so ausschlaggebend. Der gute Vater zahlt; ein Rechtsanwalt klärt das Mißgeschick. Der junge Mann lernt aus seinen Erfahrungen, und alles führt schließlich zum Guten. Ihre Lage ist allerdings wesentlich anders. Der Termin ihrer Vermählung steht fest...«

»Das stimmt, das stimmt genau.« Zum erstenmal redete der junge Mann. »Sie nimmt alles sehr, sehr ernst, müssen Sie wissen. Sie nimmt das Leben sehr ernst. Sie hat große Pläne in Cambridge gefaßt. Das Erziehungswesen soll in unserem Land verbessert, Schulen sollen gebaut werden. Alles soll im Namen des Fortschritts und der Demokratie geschehen, müssen Sie wissen. Sie sagt, es soll nicht so wie zu Zeiten meines Vaters bleiben. Natürlich weiß sie, daß ich mich in London vergnüge, aber sie ahnt nichts von dieser skandalösen Geschichte. Ein Skandal — und es wäre alles aus. Der Rubin ist nämlich sehr, sehr berühmt. An ihm hängt eine lange Geschichte... viel Blutvergießen... viele Tote!«

»Tote«, wiederholte Hercule Poirot nachdenklich. Er schaute Jesmond an. »Ich hoffe, es wird nicht dazu kommen.«

»Nein, nein, durchaus nicht«, sagte Jesmond. Seine Stimme klang reichlich unnatürlich. »Davon kann keine Rede sein, natürlich nicht.«

»Ganz sicher kann man nie sein«, antwortete Hercule Poirot. »Wer jetzt den Rubin auch immer besitzen mag — so kann es doch andere geben, die ihn haben möchten und vielleicht vor nichts zurückschrecken, mein Freund.«

Jesmonds Stimme klang jetzt noch unnatürlicher als zuvor: »Ich glaube wirklich nicht, daß wir uns darüber Gedanken zu machen brauchen. Es führt ja zu nichts.«

Hercule Poirot wurde plötzlich reserviert.

»Ich«, sagte er, »ich mache es immer wie die Politiker. Ich versuche alle Möglichkeiten zu durchdenken.«

Jesmond sah ihn zweifelnd an, riß sich auf einmal zusammen und fragte: »Darf ich annehmen, daß wir uns einig sind, Monsieur Poirot? Sie werden nach Kings Lacey kommen?«

»Welche Gründe sollte ich dort für einen Aufenthalt angeben?« fragte Poirot.

Jesmond lächelte zuversichtlich.

»Das ist meiner Meinung nach ein sehr einfaches Problem. Ich versichere Ihnen, man wird keinen Verdacht schöpfen. Die Laceys werden Ihnen gut gefallen. Es sind ganz reizende Menschen.«

»Sie haben mich nicht belogen? Es gibt wirklich eine Ölzentralheizung?«

»Ja, bestimmt«, antwortete Jesmond, und seine Stimme klang erleichtert. »Sie werden jeglichen Komfort finden.«

»*Tout confort moderne*«, murmelte Poirot vor sich hin. »*Eh bien*, ich nehme den Auftrag an.«

2

Der langgestreckte Salon in Kings Lacey war angenehm warm, die Temperatur betrug zwanzig Grad Celsius. Hercule Poirot saß an einem der großen Fenster und unterhielt sich mit Mrs. Lacey. Sie war mit einer Handarbeit beschäftigt. Während sie nähte, sprach sie leise und nachdenklich. Poirot war von ihrer Stimme entzückt.

»Ich hoffe, daß Sie sich über Weihnachten bei uns wohl fühlen, Monsieur Poirot. Sie werden hier meine Familie und einige Freunde kennenlernen: meine Enkelin, meinen Enkel und dessen Freund, Bridget — sie ist meine Großnichte — und Diana, eine Kusine von mir, ferner David Welwyn, einen alten

Freund von uns. Es ist ein Familienfest. Aber Edwina Morecombe sagte mir, daß Sie sich gerade das wünschen: ein alt-
modisches Weihnachtsfest. Niemand könnte altmodischer sein
als wir. Mein Mann lebt völlig in der Vergangenheit. Er
wünscht, daß alles genauso bleibt wie früher, als er zwölf Jahre
alt war und seine Ferien hier verbrachte.«

Sie lächelte vor sich hin.

»All die alten Dinge müssen da sein: der Weihnachtsbaum,
die Strümpfe, die Austernsuppe und der Truthahn, pardon —
zwei Truthähne, ein gekochter und ein gegrillter, und der
Plumpudding mit dem Ring und dem Junggesellenknopf und
all die anderen Sachen. Wir können heute kein Sixpencestück
mehr verwenden, weil es nicht mehr aus reinem Silber ist.
Aber die alten Desserts wird es geben, zum Beispiel Elvas-
Pflaumen, Karlsbader Pflaumen, Mandeln, Rosinen, kandierte
Früchte und Ingwer. Du liebe Güte, ich rede wie ein Katalog
von Fortnum & Mason.«

»Mir läuft schon bei Ihrer Aufzählung das Wasser im
Munde zusammen, Madame.«

»Ich fürchte, wir werden uns bis morgen abend alle den
Magen verdorben haben«, meinte Mrs. Lacey. »Heute ist man
es nicht mehr gewohnt, viel zu essen, nicht wahr?«

Sie wurde durch lautes Rufen und Gelächter draußen vor
dem Fenster unterbrochen. Sie schaute hinaus.

»Ich weiß nicht, was sie da draußen treiben — sicherlich
irgendein Spiel oder so etwas. Wissen Sie, ich habe immer be-
fürchtet, daß unsere Weihnachtsfeier diese jungen Leute langweilt, aber das stimmt nicht. Genau das Gegenteil ist einge-
troffen. Mein Sohn, meine Tochter und deren Freunde sagen,
alles andere sei Unsinn und wäre nicht so schön. Außerdem«, bemerkte Mrs. Lacey sachlich, »sind Kinder immer
hungrig, besonders wenn sie zur Schule gehen, oder? Schließlich weiß man doch, daß jedes Kind in diesem Alter genau-
soviel ißt wie drei starke Männer.«

Poirot lachte und sagte: »Es ist sehr liebenswürdig von
Ihnen und Ihrem Mann, Madame, daß Sie mich in Ihren Kreis
eingeladen haben.«

»Oh, wir freuen uns beide wirklich über Ihren Besuch. Und
wenn Sie feststellen sollten, daß Horace ein bißchen mürrisch
ist«, fuhr sie fort, »dann beachten Sie es einfach nicht. Das
ist nun einmal seine Art.«

In Wirklichkeit hatte Oberst Lacey, ihr Mann, gesagt: »Ich kann dich einfach nicht verstehen. Warum willst du, daß einer dieser verdammten Ausländer unser Weihnachtsfest stört? Warum kann er nicht zu einer anderen Zeit kommen? Ich kann Ausländer sowieso nicht ausstehen! Schon gut, schon gut, Edwina Morecombe hat ihn uns also ins Haus geschickt. Ich möchte wissen, warum *sie* sich eigentlich einmischt? Warum hat sie ihn nicht zu *ihrem* Weihnachtsfest eingeladen?«

»Weil Edwina immer zu den Claridges geht, das weißt du doch ganz genau«, hatte Mrs. Lacey geantwortet.

Ihr Mann hatte sie prüfend angesehen und gefragt: »Du planst doch wohl nicht irgend etwas, Em, oder?«

»Ich — und irgend etwas planen?« Em hatte ihn mit ihren großen blauen Augen angesehen. »Natürlich nicht. Was sollte ich denn planen?«

Der alte Oberst hatte tief und dröhnend gelacht. »Ich traue es dir glatt zu, Em. Wenn du am unschuldigsten aussieht, hast du bestimmt etwas vor.«

Mrs. Lacey dachte an dieses Gespräch und fuhr jetzt fort: »Edwina meinte, daß Sie uns vielleicht helfen könnten... Ich kann mir das zwar nicht vorstellen, aber Edwina erzählte, daß Sie einmal ihren Freunden in einem ähnlichen Fall geholfen haben. Ich — nun ja, Sie wissen vielleicht gar nicht, wovon ich rede?«

Poirot sah sie ermutigend an. »Wenn ich Ihnen irgendwie helfen kann, werde ich es mit Freude tun. Wenn ich Sie recht verstehe, handelt es sich um eine recht bedauerliche Angelegenheit, um die Schwärmerei eines jungen Mädchens.«

Mrs. Lacey nickte. »Ja. Sie wundern sich vielleicht, daß ich — nun ja, mit Ihnen darüber spreche. Schließlich kenne ich Sie überhaupt nicht...«

»Und ich bin sogar noch Ausländer«, ergänzte Poirot.

»Ja«, antwortete Mrs. Lacey, »aber vielleicht macht das die Dinge leichter. Jedenfalls schien Edwina zu glauben, daß Sie möglicherweise — wie soll ich sagen — irgendwelche nützliche Auskünfte über diesen jungen Desmond Lee-Wortley geben könnten.«

Poirot antwortete nicht sofort. Er bewunderte insgeheim Mr. Jesmond, der Lady Morecombe geschickt und mühelos für seine Ziele eingespannt hatte.

»Soweit ich weiß, hat dieser junge Mann keinen guten Ruf«, meinte er taktvoll.

»Das stimmt wirklich. Er hat einen geradezu schlechten Ruf! Das hilft uns aber in Sarahs Fall nicht weiter. Es hat keinen Sinn, einem jungen Mädchen zu sagen, daß der betreffende junge Mann einen schlechten Ruf habe, stimmt das etwa nicht? Er würde nur noch interessanter werden.«

»Sie haben völlig recht.«

»Als ich jung war«, fuhr Mrs. Lacey fort, »— du liebe Güte, wie lange ist das schon her! — wurden wir stets vor gewissen jungen Männern gewarnt, und wir interessierten uns dann natürlich noch mehr für sie . . .« Sie lachte leise.

»Was macht Ihnen Sorgen?«

»Unser Sohn fiel im Krieg«, antwortete Mrs. Lacey. »Meine Schwiegertochter starb bei Sarahs Geburt. Sarah hat immer bei uns gelebt. Wir haben sie erzogen. Vielleicht haben wir sie falsch erzogen — ich weiß es nicht. Aber wir waren stets der Ansicht, daß wir ihr so viel Freiheit wie möglich lassen sollten.«

»Das ist eine lobenswerte Einstellung. Man kann nicht gegen den Strom der Zeit schwimmen.«

»Ja, so ist es. Ich habe dasselbe gedacht. Aber leider machen die Mädchen heutzutage solche Dinge mit.«

Poirot schaute sie fragend an.

»Ich glaube«, sagte Mrs. Lacey, »man kann es so bezeichnen: Sarah ist in eine Gruppe von jungen Leuten hineingeraten, die ständig in Cafés und Bars herumhocken. Sarah will weder zu Tanzveranstaltungen gehen noch in die Gesellschaft eingeführt werden, noch Debütantin oder irgend etwas in dieser Art sein. Statt dessen wohnt sie in zwei häßlichen Zimmern in Chelsea, unten am Fluß, und trägt jene merkwürdigen Kleider, die diese Leute bevorzugen, und schwarze oder knallgrüne Strümpfe dazu — sehr dicke Strümpfe. Sie müssen furchtbar kratzen, denke ich immer. Außerdem läuft sie mit schmutzigen, ungepflegten Haaren herum.«

»Das ist heute modern. Das wird sich schon wieder geben.«

»Ja, ich weiß«, antwortete Mrs. Lacey. »Ich hätte mir darüber auch keine Sorgen gemacht, aber jetzt hat sie sich mit diesem Desmond Lee-Wortley eingelassen. Er hat einen ganz schlechten Ruf. Er lebt mehr oder weniger von reichen Mädchen. Anscheinend sind sie völlig verrückt nach ihm. Er hätte beinahe die Tochter der Hopes geheiratet, aber ihre Familie ließ sie unter Amtsvormundschaft stellen. Und Horace will jetzt dasselbe tun. Aber ich halte das für keine gute Idee. Sie werden lediglich einfach nach Schottland, Irland, Argentinien und sonstwohin fliehen und dort entweder heiraten oder eine wilde Ehe führen. Das ist keine Lösung des Problems — und erst recht nicht, wenn ein Baby erwartet wird. Gibt man aber nach und die Einwilligung zur Heirat, folgt mit Sicherheit nach ein, zwei Jahren die Scheidung. Dann kommt das Mädchen wieder nach Hause, und einige Zeit später heiratet es ein zweites Mal — dann einen Mann, der so lieb ist, daß er einen langweilt. Das Mädchen kommt schließlich zur Ruhe. Aber nach meiner Meinung sind solche Fälle besonders traurig, wenn ein Kind da ist und wenn ein Stiefvater dessen Erziehung übernimmt, mag er noch so nett sein. Nein, ich glaube, es wäre viel besser, wenn man so handeln würde, wie man es in meiner Jugend tat.«

»Man glaubt immer, daß die Zeiten früher besser waren«, sagte Poirot leicht dozierend.

»Natürlich. Ich langweile Sie mit langen Reden, nicht wahr? Das sollte mir eigentlich nicht passieren. Aber trotzdem wünsche ich nicht, daß Sarah — sie ist wirklich ein liebes und gutes Mädchen — diesen Desmond Lee-Wortley heiratet. Sie und David Welwyn — er ist auch hier — waren immer gute Freunde. Sie hatten sich sehr gern. Horace und ich hofften, daß sie heiraten würden, wenn sie das Alter dazu hätten. Leider ist er jetzt völlig Luft für sie, weil sie eben in ihren Desmond verliebt ist.«

»Madame, wenn ich Sie recht verstanden habe, ist dieser Desmond Lee-Wortley hier. Er wohnt hier?«

»Ja, das war meine Idee. Horace wollte ihr verbieten, ihn wiederzusehen und so weiter. Am liebsten hätte er wie früher der Vater oder der Vormund mit einer Reitpeitsche bei dem jungen Mann einen Besuch gemacht. Ich sagte ihm aber, daß dies grundverkehrt sei. ›Nein‹, habe ich gesagt, ›lade ihn zu uns ein. Er soll Weihnachten hier in unserer Familie verbringen.‹ Natürlich meinte mein Mann, daß ich verrückt sei. Aber ich habe ihm geantwortet: ›Liebling, wir können es jedenfalls einmal versuchen. Sie soll ihn hier in *unserem* Kreis und in *unserem* Haus erleben. Wir werden sehr nett und sehr höflich zu ihm sein. Vielleicht erscheint er ihr dann weniger interessant.‹«

»Madame, ich glaube, Sie haben den Stein der Weisen entdeckt, wie man so sagt. Ihre Einstellung ist sehr klug, davon bin ich überzeugt, jedenfalls klüger als die Ihres Mannes.«

»Hoffentlich«, entgegnete Mrs. Lacey zweifelnd. »Bis jetzt steht der Beweis aus. Aber er ist ja erst seit ein paar Tagen hier.« Plötzlich lächelte sie, und ein Grübchen zeigte sich in ihrer Wange. »Ich muß Ihnen etwas gestehen, Monsieur Poirot. Ich kann mir nicht helfen, er gefällt mir. Damit will ich nicht sagen, daß mir mein Verstand dasselbe sagt, aber ich spüre sehr wohl, daß er Charme hat. O ja, ich verstehe, was Sarah an ihm findet. Aber ich bin alt genug und habe genügend Erfahrung, um zu wissen, daß er nichts taugt. Trotzdem glaube ich, daß er auch ein paar gute Seiten hat«, fügte Mrs. Lacey nachdenklich hinzu. »Er bat uns nämlich, seine Schwester mitbringen zu dürfen. Sie ist operiert worden und lag im Krankenhaus. Es sei so traurig für sie, wenn sie über Weihnachten in der Klinik bleiben müsse, meinte er. Er fragte, ob es zuviel Umstände machen würde, wenn sie mit bei uns wäre, und versprach, ihr alle Mahlzeiten selbst hochzutragen. Das finde ich zweifellos nett von ihm. Meinen Sie nicht auch, Monsieur Poirot?«

»Diese Besorgnis«, erwiderte dieser nachdenklich, »paßt kaum zu seinem Charakter.«

»Oh, ich weiß nicht. Man kann doch sehr an der Familie hängen und andererseits den Wunsch haben, ein junges reiches Mädchen zu heiraten. Sie müssen wissen, daß Sarah einmal sehr reich sein wird. Sie wird nicht nur das Geld erben, das wir ihr hinterlassen. Das wird nicht allzuviel sein, weil der größte Teil des Geldes zusammen mit diesem Besitz hier unserem Enkel Colin vermacht wird, aber Sarah wird das außerordentlich große Vermögen ihrer Mutter erben, wenn sie volljährig wird. Sie ist jetzt zwanzig Jahre alt ... Nein, ich finde es wirklich nett von Desmond, daß er an seine Schwester gedacht hat. Er gab auch nicht vor, daß sie etwas Außergewöhnliches sei. Ich vermute, sie ist Stenotypistin. Außerdem hat er sein Wort gehalten. Er trägt stets das Essen zu ihr hoch, natürlich nicht immer, aber doch meistens. Daher glaube ich, daß er auch seine guten Seiten hat. Trotzdem will ich nicht, da Sarah ihn heiratet.«

»Nach dem, was ich gehört habe und was mir berichtet worden ist, wäre es tatsächlich ein Unglück«, meinte Poirot.

»Glauben Sie, daß Sie uns helfen können?«

»Ich denke schon, aber ich will nicht zuviel versprechen, denn Leute wie Lee-Wortley gehen bestimmt raffiniert vor, Madame. Verzweifeln Sie nicht. Vielleicht läßt sich etwas machen. Auf alle Fälle werde ich mein Bestes versuchen, schon aus Dankbarkeit. Sie waren so liebenswürdig, mir zu erlauben, das Weihnachtsfest bei Ihnen zu verbringen.« Er sah sich um. »Hoffentlich wird die Festtagsstimmung nicht beeinträchtigt.«

»Ja«, seufzte Mrs. Lacey und beugte sich vor. »Wissen Sie, Monsieur Poirot, wovon ich schon lange träume — ich meine, was ich mir wünsche?«

»Es würde mich interessieren, Madame.«

»Ich wünsche mir einen Bungalow, so ein kleines, modernes Haus, das leicht in Ordnung zu halten ist und hier im Park steht, das eine moderne Küche und keine langen Korridore hat, in dem alles bequem und einfach ist.«

»Das ist eine gute Idee, Madame.«

»Nein, für mich nicht. Mein Mann liebt unser Haus über alles. Er lebt ausgesprochen gern hier. Ihm macht es nichts aus, wenn es für ihn unbequem und unpraktisch ist. Er fände es abscheulich, in einem Bungalow leben zu müssen.«

»Sie ordnen sich also seinen Wünschen unter?«

Mrs. Lacey richtete sich auf.

»Ich ordne mich nicht unter, Monsieur Poirot. Ich habe meinen Mann mit dem Wunsch geheiratet, ihn glücklich zu machen. Er war mir immer ein guter Ehemann und hat mich all die Jahre hindurch glücklich gemacht.«

»Sie werden also weiter hier wohnen bleiben?«

»So ungemütlich ist es nun auch wieder nicht.«

»Nein, nein«, sagte Poirot hastig. »Im Gegenteil, es ist sehr gemütlich hier. Ich bin ganz begeistert von Ihrer Zentralheizung und dem warmen Wasser im Bad.«

»Wir haben eine Menge Geld ausgegeben, um dieses Haus gemütlich zu machen. Wir haben ein Stück Land verkauft. Es war baureif und brachte einen guten Erlös.«

»Aber woher nehmen Sie das Personal, Madame?«

»Das Problem ist leichter zu lösen, als Sie glauben. Natürlich wurde man früher besser bedient als heute. Aber aus dem Dorf kommen verschiedene Leute, die mir helfen. Zwei Frauen kommen morgens, zwei kochen das Mittagessen und waschen ab, und ein paar andere sind abends da. Die Frauen kommen gern, weil sie nur ein paar Stunden am Tag arbeiten. Zu Weihnachten haben wir besonderes Glück. Meine liebe Mrs. Ross kommt jedes Jahr und hilft uns. Sie ist eine großartige Köchin — sie kocht ganz erstklassig. Vor zehn Jahren gab sie ihre Stelle bei uns auf, aber sie hilft weiterhin aus. Und dann haben wir das Prachtstück Peverell.«

»Ihren Butler?«

»Ja. Er ist pensioniert und wohnt in dem kleinen Häuschen in der Nähe der Portierwohnung. Er liebt uns so, daß er uns zu Weihnachten regelmäßig bedient. Er besteht darauf. Dabei ist er schon alt und gebrechlich. Ich bilde mir immer ein, daß er einmal alles, was er gerade trägt, fallen läßt. Es ist eine Qual, ihm zusehen zu müssen ...« Sie lächelte Poirot zu. »Sie sehen also, wir sind alle bereit, ein schönes Weihnachtsfest zu verleben. Ein weißes Weihnachten sogar«, fügte sie hinzu, als sie zum Fenster hinausschaute. »Sehen Sie! Es beginnt zu schneien. Ah, die Kinder kommen herein. Sie müssen sie kennenlernen, Monsieur Poirot.«

Ihm wurde mit angemessener Höflichkeit zuerst Colin, dann Michael vorgestellt. Colin war der Enkel, er ging noch zur Schule, und Michael war sein Freund. Der erstere war dunkel, der zweite blond; beide waren höfliche, fünfzehnjährige Burschen. Dann wurde er Bridget, der schwarzhaarigen Kusine, vorgestellt. Sie war ungefähr genauso alt wie die beiden Jungen und strotzte vor Vitalität.

»Und dies ist meine Enkelin Sarah«, sagte Mrs. Lacey.

Poirot betrachtete Sarah interessiert. Sie war attraktiv mit ihrem dichten roten Haarschopf. Er hatte den Eindruck, daß sie frech und ein bißchen trotzig war, aber gleichzeitig spürte man auch, daß sie ihre Großmutter sehr gern hatte.

»Und dies ist Mr. Lee-Wortley.«

Lee-Wortley trug eine Anglerjacke und enge schwarze Jeans. Sein Haar war ziemlich lang. Man konnte nicht mit Bestimmtheit sagen, ob er sich morgens rasiert hatte. Im Gegensatz zu Lee-Wortley sah der stille junge Mann, der als David Welwyn vorgestellt wurde, solide aus. Er lächelte freundlich und schien offensichtlich der Seife und dem Wasser sehr zugetan zu sein. Außerdem gehörte zu der Gruppe noch ein hübsches, etwas exaltiertes Mädchen, Diana Middleton.

Der Tee wurde aufgetragen, dazu eine Menge Teegebäck, Teekuchen, belegte Brote und drei verschiedene Kuchensorten. Die jüngere Generation bediente sich ungeniert. Oberst Lacey kam als letzter herein.

Seine Frau reichte ihm eine Tasse. Er nahm sich zwei Teekuchen, warf Desmond Lee-Wortley einen Blick zu, der seine Abneigung keineswegs verhehlte, und setzte sich so weit wie möglich von ihm fort. Der Oberst war ein stattlicher Mann. Seine Augenbrauen waren buschig und sein Gesicht verwittert. Man hätte ihn eher für einen Bauern als für den Herrn dieses Landgutes gehalten.

»Hat zu schneien angefangen«, murmelte er. »Wir werden voraussichtlich weiße Weihnachten bekommen.«

Nach der Teestunde ging die Gesellschaft auseinander.

»Sie werden sich jetzt mit ihren Schallplatten beschäftigen, vermute ich«, sagte Mrs. Lacey zu Poirot. Voller Nachsicht blickte sie ihrem Enkel nach, als er aus dem Zimmer ging.

»Sie interessieren sich nur noch für technische Dinge«, fuhr sie fort.

Die Jungen und Bridget beschlossen aber, zum See zu gehen. Sie wollten feststellen, ob die Eisdecke schon zum Schlittschuhlaufen taugte.

»Wir wollten schon heute morgen Schlittschuh laufen«, sagte Colin, »aber der alte Hodgkins verbot es. Der ist immer so schrecklich vorsichtig.«

»Komm, David, gehen wir spazieren«, schlug Diana Middleton mit sanfter Stimme vor. David zögerte. Seine Blicke hingen an Sarahs rotem Haar. Sie stand bei Desmond Lee-Wortley. Ihre Hand lag an seinem Arm, sie sah zu ihm auf.

»Gut!« antwortete David Welwyn. »Ja, gehen wir!«

Diana hakte sich schnell bei ihm unter. Beide gingen auf die Tür zu, die in den Garten führte.

Sarah fragte: »Sollen wir auch gehen, Desmond? Es ist im Hause ziemlich stickig.«

»Wer will schon spazierengehen? Ich hole das Auto. Wir fahren zum Gasthaus ›Speckled Boar‹ und trinken etwas.« Desmond hob fragend den Kopf.

»Laß uns lieber nach Market Ledbury in die Bar vom ›White Hart‹ fahren. Da ist es viel lustiger«, antwortete Sarah.

Mit Desmond in der Dorfwirtschaft gesehen zu werden, gefiel Sarah instinktiv nicht, obwohl sie das auf keinen Fall laut ausgesprochen hätte. Die Tradition von Kings Lacey erlaubte es nicht. Sie würde die beiden Alten sehr enttäuschen, wenn sie trotzdem dorthin ginge. Es war schon großzügig von ihnen, daß sie ihr eigenes Leben führen durfte, obwohl beide nicht im geringsten verstanden, warum sie in diesem Stil in Chelsea leben wollte. Aber sie akzeptierten es. Das lag natürlich an Em. Der Großvater hätte von sich aus kurzen Prozeß gemacht.

Sarah machte sich über dessen Einstellung keine Illusionen. Es war auch nicht seine Idee gewesen, Desmond nach Kings Lacey einzuladen, sondern Ems.

Während Desmond das Auto holte, informierte Sarah Mrs. Lacey: »Wir fahren nach Market Ledbury. Wir möchten gern im ›White Hart‹ etwas trinken.«

Ein Anflug von Trotz lag in ihrer Stimme, aber Mrs. Lacey bemerkte es scheinbar nicht.

»Gut, Liebling«, sagte sie. »Das wird sicherlich nett werden. David und Diana sind, soviel ich weiß, spazierengegangen. Ich bin recht froh darüber. Ich glaube, das war ein Geistesblitz, als ich auf die Idee kam, Diana einzuladen. Wie traurig, daß sie schon mit einundzwanzig Witwe geworden ist. Hoffentlich heiratet sie bald wieder.«

Sarah sah sie mit einem durchdringenden Blick an.

»Was ist los, Em?«

»Ich habe einen kleinen Plan«, antwortete Mrs. Lacey fröhlich. »Ich glaube, sie paßt genau zu David. Ich weiß natürlich, daß er fürchterlich in dich verliebt gewesen ist, liebe Sarah, aber du kannst ja nichts mehr mit ihm anfangen, weil er nun einmal nicht dein Typ ist. Ich möchte ihn gern wieder glücklich sehen, und ich glaube, Diana paßt gut zu ihm.«

»Was bist du für eine Kupplerin, Em!«

»Ich weiß. Alte Frauen sind das immer. Mir scheint, Diana hat schon ein Auge auf ihn geworfen. Glaubst du nicht auch, daß sie genau die Richtige für ihn ist?«

»Ich würde das nicht behaupten. Diana ist viel zu — nun ja, zu exaltiert, viel zu humorlos. Wenn er mit ihr verheiratet ist, wird er sich meiner Meinung nach schrecklich langweilen.«

»Na ja, wir werden es ja sehen. Du willst ihn doch auf keinen Fall mehr, Liebling, oder?«

»Nein, wirklich nicht«, gab Sarah schnell zur Antwort. Dann

fragte sie plötzlich unvermittelt: »Desmond gefällt dir doch, nicht wahr, Em?«

»Er ist charmant, ja, ja«, antwortete Mrs. Lacey.

»Großvater mag ihn nicht.«

»Nein, das kannst du wohl kaum von ihm erwarten. Aber er wird sich ändern, wenn er sich erst einmal an die Tatsache gewöhnt hat. Du darfst ihn nur nicht drängen, meine liebe Sarah. Alte Leute ändern ihre Meinung nur langsam, und dein Großvater ist dazu noch halsstarrig.«

»Was Großvater denkt oder sagt, ist mir egal. Ich heirate Desmond, wenn es mir gefällt.«

»Ich weiß, Liebes, ich weiß ... Aber sei doch einmal realistisch! Dein Großvater könnte dir viele Steine aus dem Weg räumen, das weißt du ja wohl. Außerdem bist du noch nicht volljährig. In einem Jahr kannst du erst tun und lassen, was du willst. Dann hat auch Horace nichts mehr dagegen.«

»Du bist auf meiner Seite, nicht wahr?« fragte Sarah.

»Ich möchte, daß du glücklich wirst«, entgegnete Mrs. Lacey. »Ah, da kommt ja der junge Mann mit dem Auto. Weißt du, ich mag diese engen Hosen, die die Männer heutzutage tragen. Sie sehen sehr schick aus — aber sie betonen natürlich auch X-Beine.« Ja, erschrak Sarah, Desmond hat ja X-Beine. Sie hatte es bisher noch nicht bemerkt.

»Geh nun, Liebling, und amüsiere dich gut!«

Mrs. Lacey blickte Sarah nach, wie sie zum Auto ging. Dann erinnerte sie sich an ihren Gast aus dem Ausland und ging in die Bibliothek. Als sie zur Tür hineinschaute, sah sie allerdings, daß Hercule Poirot eingeschlummert war. Sie lächelte vor sich hin, während sie durch die Halle in die Küche ging, um noch einiges mit Mrs. Ross zu besprechen.

»Komm, Süße!« sagte Desmond. »Macht deine Familie Theater, weil du mit mir in ein Lokal gehen willst? Die sind hier Jahre zurück, was?«

»Nein, sie machen kein Theater«, antwortete Sarah gereizt, während sie ins Auto stieg.

»Was will dieser Ausländer hier? Er ist Detektiv, nicht wahr? Was will ein Detektiv hier?«

»Er ist nicht beruflich hier. Edwina Morecombe, meine Patentante, hat uns gebeten, ihn aufzunehmen. Ich glaube, er hat sich schon lange von seinem Beruf zurückgezogen.«

»Klingt, als ob er ein ausgedienter alter Droschkengaul wäre.«

»Ich glaube, er möchte ein altenglisches Weihnachtsfest miterleben«, erklärte Sarah nicht gerade überzeugend.

Desmond lachte verächtlich. »So ein Quatsch! Ich frage mich nur, wie du so ein Weihnachten aushalten kannst.«

Sarah warf ihr rotes Haar zurück, und ihr energisches Kinn schob sich vor.

»Mir gefällt es!« Trotzig stieß sie die Worte hervor.

»Nein, Baby, es kann dir nicht gefallen. Morgen machen wir Schluß. Wir fahren nach Scarborough oder sonstwohin.«

»Unmöglich.«

»Warum denn?«

»Ich würde sie verletzen.«

»Fauler Zauber! Dir macht doch dieser kindische, sentimentale Blödsinn im Grunde auch keinen Spaß.«

»Nun ja, im Grunde vielleicht nicht, aber . . .«

Sie fühlte sich schuldig, weil ihr bewußt wurde, daß sie Weihnachten aufrichtig herbeisehnte. Es war ein schönes Fest, aber sie schämte sich, es Desmond gegenüber einzugestehen. Mit diesem Schuldgefühl konnte sie das Fest und das Familienleben nicht genießen. Einen Augenblick lang wünschte sie, Desmond wäre jetzt nicht hier. Sie wünschte sich tatsächlich, daß Desmond niemals hergekommen wäre. Es war für sie schöner, Desmond in London zu sehen, nicht aber hier zu Hause.

Inzwischen waren die Jungen und Bridget wieder vom See zurückgekehrt. Sie diskutierten noch ernsthaft über die Probleme, die das Schlittschuhlaufen mit sich brachte. Ab und zu hatte es geschneit.

»Es wird die ganze Nacht schneien«, prophezeite Colin. »Ich wette, der Schnee wird bis zum Weihnachtsmorgen viele Zentimeter hoch liegen.«

Das war eine erfreuliche Aussicht.

»Wir bauen einen Schneemann«, schlug Michael vor.

»Guter Gott«, antwortete Colin, »ich habe zum letztenmal einen Schneemann gebaut, als ich vier Jahre alt war.«

»Ich fürchte, das ist ziemlich schwierig«, meinte Bridget.

»Wir könnten Monsieur Poirot kopieren«, schlug Colin

vor. »Einen schwarzen Schnurrbart bekommt er. In der Frisierkommode ist einer.«

»Weißt du, ich kann mir nicht vorstellen, daß Monsieur Poirot mal Detektiv gewesen ist. Ich kann mir überhaupt nicht vorstellen, daß er sich verkleiden könnte«, sagte Michael nachdenklich.

»Das stimmt«, pflichtete Bridget bei, »man kann sich nicht vorstellen, daß er mit einem Mikroskop herumläuft, Spuren sucht oder Fußabdrücke ausmißt.«

»Ich habe eine Idee«, sagte Colin. »Wir können für ihn eine Schau abziehen.«

»Was willst du damit sagen?« fragte Bridget.

»Wir inszenieren einen Mord für ihn.«

»Das ist eine großartige Idee!« rief Bridget aus. »Meinst du eine Leiche im Schnee oder so etwas Ähnliches?«

»Ja. Er würde sich dann bei uns wie zu Hause fühlen, oder?«

Bridget kicherte.

»Ich weiß nicht, ob ich es so weit treiben würde.«

»Wenn es schneit«, sagte Colin, »haben wir einen idealen Rahmen für das Ganze. Eine Leiche und Fußspuren ... Wir müssen uns alles sorgfältig überlegen. Wir müssen einen Dolch aus Großvaters Sammlung stehlen und ein bißchen Blut herbeischaffen.«

Sie blieben stehen und begannen hitzig zu diskutieren. Sie bemerkten dabei gar nicht, daß es heftig zu schneien anfing.

»Im alten Klassenzimmer liegt noch ein Farbkasten. Damit könnten wir Blut mischen; am besten mit Karmesinrot.«

»Ich glaube, daß Karmesinrot zu hell ist«, meinte Bridget. »Die Farbe müßte dunkler sein.«

»Wer will die Leiche sein?« fragte Michael.

»Ich bin die Leiche«, antwortete Bridget schnell.

»Hör mal zu«, sagte Colin, »ich bin die Leiche.«

»Nein, auf keinen Fall. Ich bin richtig dafür. Es muß ein Mädchen sein ... Ein schönes Mädchen liegt leblos im Schnee!«

»Ein schönes Mädchen! Ha-ha«, lachte Michael spöttisch.

»Ich habe sogar schwarzes Haar.«

»Was hat das damit zu tun?«

»Nun ja, das sieht im Schnee besonders gut aus, und ich werde meinen roten Schlafanzug anziehen.«

»Wenn du einen roten Schlafanzug anhast, kann man die Blutflecken nicht sehen«, widersprach Michael.

»Aber der Anzug hat weiße Aufschläge, darauf könnte doch das Blut sein. Wäre das nicht großartig? Glaubst du wirklich, daß er darauf hereinfällt?«

»Er fällt darauf herein, wenn wir es richtig machen«, antwortete Michael. »Deine Fußspuren werden im Schnee sein und die einer anderen Person. Die Spuren führen bis zur Leiche, dann zweigen sie ab — natürlich sind das die Spuren eines Mannes. Poirot wird die Spuren nicht verwischen wollen, deshalb wird er auch nicht merken, daß du gar nicht tot bist. Glaubt ihr das etwa nicht?« Abrupt unterbrach er sich. Ihm war plötzlich etwas eingefallen. Die anderen schauten ihn an. »Glaubt ihr, daß er sich darüber ärgern wird?«

»Oh, das glaube ich nicht«, sagte Bridget unbekümmert und optimistisch. »Er wird es nicht falsch auffassen, bestimmt nicht. Wir haben es halt getan, um ihn zu unterhalten. Es ist für ihn eine Weihnachtsüberraschung.«

»Ich meine aber, wir sollten uns nicht gerade den ersten Weihnachtstag aussuchen«, sagte Colin nachdenklich.

»Dann machen wir es also am zweiten Weihnachtsfeiertag«, schlug Bridget vor.

»Der Tag ist genau richtig«, stimmte Michael zu.

»Dann haben wir auch mehr Zeit«, fuhr Bridget fort. »Schließlich müssen wir doch eine Menge vorbereiten. Kommt, gehen wir und schauen wir uns mal das nötige Zubehör an.«

Sie liefen ins Haus.

3

Am Weihnachtsabend ging es geschäftig zu. Man hatte große Mengen von Stechpalmenzweigen und Mistelzweigen ins Haus gebracht. Der Weihnachtsbaum stand in der Ecke des Eßzimmers. Jeder half beim Schmücken. Die Stechpalmenzweige wurden hinter die Gemälde gesteckt, und die Mistelzweige an den passenden Stellen in der Vorhalle aufgehängt.

»Ich wußte gar nicht, daß man noch so albern sein kann«, murmelte Desmond verächtlich.

»Wir haben es immer so gemacht«, verteidigte Sarah sich.

»Was heißt das schon.«

»Sei nicht so garstig, Desmond. Mir macht es Spaß.«

»Sarah, meine Süße, das meinst du doch nicht im Ernst.«

»Doch, vielleicht — vielleicht nicht ganz im Ernst, aber irgendwie ein bißchen schon.«

»Wer will trotz des Schnees zur Mitternachtsmette gehen?« fragte Mrs. Lacey zwanzig Minuten vor zwölf.

»Ich nicht«, antwortete Desmond. »Komm, Sarah!«

Er legte seine Hand auf ihren Arm und führte sie in die Bibliothek zum Plattenspieler.

»Alles hat seine Grenzen, Liebling«, sagte Desmond. »Mitternachtsmette!«

»Du hast recht. Ja, da hast du recht.«

Fast alle anderen machten sich zum Kirchgang fertig. Unter lautem Gelächter und mit viel Getrampel zogen sie sich die Mäntel an und verließen das Haus. Bridget, David und Diana gingen zu Fuß zur Kirche, die zehn Minuten entfernt lag. Es schneite. Ihr Lachen verklang in der Ferne.

»Mitternachtsmette!« schnaubte Oberst Lacey verächtlich. »Bin niemals in meiner Jugend zur Mitternachtsmette gegangen. Alles Mist! Pfaffenzeug! Entschuldigen Sie bitte, Monsieur Poirot.«

Poirot winkte ab.

»Das ist ganz in Ordnung. Auf mich brauchen Sie keine Rücksicht zu nehmen.«

»Ich meine, die Frühmette ist genug für alle«, fuhr der Oberst fort. »Ein ordentlicher Gottesdienst am Weihnachtsmorgen und dann zurück zum Essen. Das ist das einzig Wahre, stimmt's, Em?«

»Ja, Liebling. Wir halten es so, aber der jungen Generation gefällt eben die Mitternachtsmette. Ich finde es schön, wenn sie hingehen.«

»Sarah und dieser Bursche wollen nicht gehen.«

»Mein Bester, ich glaube, da täuschst du dich. Sarah würde schon gehen, das weißt du ganz genau, aber sie traut sich nicht, es zuzugeben.«

»Ihr könnt mich schlagen; ich verstehe trotzdem nicht, warum sie etwas auf die Meinung dieses Burschen gibt.«

»Sie ist noch jung«, antwortete Mrs. Lacey besänftigend. »Sie wollen schlafen gehen, Monsieur Poirot? Gute Nacht. Ich hoffe, Sie werden gut schlafen.«

»Und Sie, Madame, gehen Sie noch nicht zu Bett?«

»Noch nicht. Wissen Sie, ich muß noch die Weihnachtsstrümpfe füllen. Die Kinder sind zwar schon erwachsen, ihre Strümpfe wollen sie aber nicht missen.«

»Sie geben sich wirklich viel Mühe, damit zu Weihnachten alle glücklich sind. Ich bewundere Sie.« Poirot küßte ihr höflich die Hand.

»Hm«, brummte Oberst Lacey, als Poirot gegangen war. »Liebt galante Gesten. Immerhin — er verehrt dich.«

Mrs. Lacey schaute ihn kokett an. »Merkst du nicht, daß ich unter einem Mistelzweig stehe?« fragte sie mit der scheuen Zurückhaltung eines neunzehnjährigen Mädchens.

Hercule Poirot betrat sein Schlafzimmer. Es war groß und gut geheizt. Als er auf das große Himmelbett zuging, sah er auf dem Kissen einen Briefumschlag liegen. Er öffnete ihn und zog ein Stück Papier heraus. In krakeliger Schrift und großen Buchstaben stand darauf:

ESSEN SIE NICHTS VON DEM PLUMPUDDING!
JEMAND, DER ES GUT MIT IHNEN MEINT.

Hercule Poirot starrte auf den Zettel. Er zog die Augenbrauen hoch. »Seltsam«, murmelte er, »damit habe ich nicht gerechnet.«

4

Um zwei begann das Weihnachtsessen. Es war ein festliches Mahl. Riesige Holzscheite knisterten im großen Kamin. Alle sprachen gleichzeitig. Von der Austernsuppe blieb nichts übrig. Zwei riesige Truthähne wurden als Gerippe wieder abserviert. Und dann — der Höhepunkt des Festessens! Der wunderbar garnierte Weihnachtspudding wurde hereingetragen ...

Dem alten, achtzigjährigen Peverell zitterten Hände und Knie vor Altersschwäche, aber er erlaubte niemand anderem, den Pudding zu servieren. Das war sein Privileg! Mrs. Lacey saß nervös mit ängstlich zusammengepreßten Händen da.

Der Weihnachtspudding ruhte wie ein großer Fußball in seiner ganzen Herrlichkeit auf einer Silberplatte. Ein kleiner Mistelzweig steckte, einer Siegesfahne gleich, oben in dem Pudding. Wunderbar rote und blaue Flämmchen züngelten an ihm empor.

Mrs. Lacey hatte eins erreicht: Peverell durfte den Plumpudding nicht mehr herumreichen, sondern mußte ihn vor ihr niedersetzen, so daß sie ihn selbst austeilen konnte. Erleichtert seufzte sie auf, als die Platte sicher vor ihr stand. Schnell wurden die Teller gefüllt und weitergereicht.

»Wünschen Sie sich was, Monsieur Poirot«, rief Bridget. »Wünsch dir was, bevor die Flämmchen ausgehen — schnell, Opa, schnell!«

Mrs. Lacey lehnte sich zufrieden zurück. Das Unternehmen »Pudding« war ein voller Erfolg. Vor jedem stand eine Portion Plumpudding, an dem die Flämmchen noch leckten. Stille herrschte einen Augenblick lang am Tisch, weil sich jeder intensiv etwas wünschte. Niemand nahm Poirots seltsamen Gesichtsausdruck wahr, als er seine Portion auf dem Teller betrachtete. »Essen Sie nichts von dem Pudding!« Was um alles in der Welt sollte diese unheilvolle Warnung bedeuten? Seine Portion sah genauso wie die anderen Portionen aus. Mit einem Seufzer griff er zu Löffel und Gabel. Obwohl Hercule Poirot sich eine Verwirrung niemals gern eingestand, mußte er es diesmal tun. Er war tatsächlich verwirrt.

»Mögen Sie steife Creme, Monsieur Poirot?«

Poirot bediente sich reichlich.

»Hast mir wieder meinen guten Kognak stibitzt, Em?« fragte der Oberst gutgelaunt vom anderen Ende des Tisches her. Mrs. Lacey zwinkerte ihm zu.

»Mrs. Ross will nur besten Branntwein verwenden, Liebling. Sie sagt, davon hängt alles ab.«

»Ist schon gut. Es ist nur einmal im Jahr Weihnachten, und Mrs. Ross ist eine hervorragende Köchin.«

»Das stimmt wirklich«, sagte Colin. »Der Plumpudding schmeckt wundervoll — hm.« Er stopfte sich genießerisch ein neues Stück Pudding in den Mund.

Zaghaft, fast zimperlich, nahm Poirot seinen Pudding in Angriff. Er aß einen Löffel voll. Es schmeckte herrlich! Er aß einen zweiten Löffel voll. Leise klappernd fiel etwas auf seinen Teller. Er untersuchte es mit der Gabel. Bridget — sie saß links von ihm — half ihm dabei.

»Sie haben da etwas, Monsieur Poirot«, sagte sie. »Ich bin gespannt, was es ist.«

Poirot löste etwas Kleines, Silbernes aus den Rosinen heraus, die daran klebten.

»Monsieur Poirot hat den Junggesellenknopf!« rief Bridget.

Hercule Poirot tauchte den kleinen Silberknopf in das Wasserschälchen, das neben seinem Teller stand, und wusch die Krumen ab. »Der Knopf ist sehr hübsch«, stellte er fest.

»Das bedeutet, daß Sie Junggeselle bleiben, Monsieur Poirot«, erklärte ihm Colin hilfsbereit.

»Ich habe auch nichts anderes vor«, antwortete Poirot ernst. »Seit vielen langen Jahren bin ich Junggeselle, und es ist unwahrscheinlich, daß sich dieser Zustand ändern wird.«

»Nur nicht verzweifeln«, erklärte Michael. »Ich habe in der Zeitung gelesen, daß neulich ein Fünfundneunzigjähriger ein zweiundzwanzigjähriges Mädchen geheiratet hat.«

»Du machst mir Mut.«

Plötzlich schrie Oberst Lacey auf. Sein Gesicht lief dunkelrot an. Er griff sich an den Mund.

»Verdammt noch mal, Emmeline!« brüllte er. »Warum, zum Donnerwetter, erlaubst du der Köchin, Glas in meine Portion zu tun?«

»Glas?« rief Mrs. Lacey erstaunt aus.

Oberst Lacey holte den Gegenstand seines Ärgers aus dem Mund.

»Hätte mir einen Zahn ausbrechen können«, schnauzte er. »Oder hätte das verdammte Ding verschlucken und eine Blinddarmentzündung bekommen können.«

Er ließ das Glasstück in sein Wasserschälchen fallen, spülte es ab und hielt es hoch.

»Es ist ein roter Stein aus einem Knallbonbon.«

»Erlauben Sie?«

Monsieur Poirot beugte sich sehr geschickt an seinem Nachbarn vorbei, nahm Oberst Lacey den Stein aus der Hand und untersuchte ihn aufmerksam. Es stimmte, was der Hausherr gesagt hatte. Der Stein war ziemlich groß und rot. Er hatte die Farbe eines Rubins. Während Poirot ihn herumdrehte, reflektierte der Stein funkelnd das Licht. Ein Stuhl wurde irgendwo am Tisch hart zurückgestoßen und dann wieder herangezogen.

»Puh!« rief Michael aus. »Wär das prima, wenn der Stein echt wäre.«

»Vielleicht ist er echt«, antwortete Bridget hoffnungsvoll.

»Sei kein Esel, Bridget. Ein Rubin in dieser Größe würde viele tausend Pfund kosten, nicht wahr, Monsieur Poirot?«

»Ja, das stimmt.«

»Aber ich kann wirklich nicht begreifen, wie der Stein in den Pudding gekommen ist«, erregte sich Mrs. Lacey.

»Ach«, rief Colin aus, den sein letztes Stück Pudding ablenkte. »Ich habe das Schwein bekommen. Das ist nicht fair.«

Bridget sang sofort los: »Colin hat das Schwein bekommen. Colin hat das Schwein bekommen. Colin ist ein gieriges, verfressenes Schwein!«

»Ich habe den Ring«, rief Diana. Ihre Stimme war hoch und hell.

»Du hast Glück, Diana. Du wirst also als erste von uns heiraten.«

»Und ich habe den Fingerhut«, jammerte Bridget.

»Bridget wird eine alte Jungfer«, sangen die beiden Jungen. »Hoho, Bridget wird eine alte Jungfer!«

»Wer hat das Geld bekommen?« fragte David. »Ein echtes Zehnshillinggoldstück ist im Pudding. Ich weiß es ganz genau, Mrs. Ross hat es mir erzählt.«

»Ich glaube, ich bin der Glückliche«, sagte Desmond Lee-Wortley.

Die beiden Tischnachbarn von Oberst Lacey hörten ihn murmeln: »Ja, das bist du.«

»Ich habe auch einen Ring«, erklärte David. Er schaute zu Diana hinüber. »Ist das nicht ein Zufall?«

Das Lachen hörte nicht auf. Niemand bemerkte, daß Monsieur Poirot unbekümmert und scheinbar gedankenlos den roten Stein in seine Tasche gleiten ließ. Nach dem Pudding gab es einen festlichen Nachtisch und mehrere süße Fleischpasteten. Danach zog sich die ältere Generation zurück, um ihr Ruhestündchen zu halten, bevor alle zum Tee gebeten und die Christbaumkerzen angezündet wurden. Hercule Poirot hielt keinen Mittagsschlaf, statt dessen stattete er der riesigen, altmodischen Küche einen Besuch ab.

»Ist es erlaubt«, fragte er, während er strahlend umherschaute, »der Köchin zu diesem ausgezeichneten Mahl, das ich soeben genossen habe, zu gratulieren?«

Einen Augenblick lang geschah gar nichts. Dann kam Mrs. Ross und begrüßte ihn würdevoll. Sie war groß und stattlich.

»Ich freue mich, daß es Ihnen geschmeckt hat«, sagte sie wohlwollend.

»Und wie ausgezeichnet!« rief Hercule Poirot aus. »Sie

sind tatsächlich ein Genie, Mrs. Ross. Ein Genie! Ich habe noch niemals ein solch wunderbares Essen gegessen. Die Austernsuppe —«, seine Lippen formten einen Laut der Anerkennung, »— und die Füllung. Die Kastanienfüllung in dem Truthahn war einzigartig, geradezu ein Erlebnis.«

»Ich freue mich, daß gerade Sie das sagen«, erklärte Mrs. Ross freundlich. »Die Füllung ist nach einem besonderen Rezept gemacht. Ein österreichischer Chefkoch, mit dem ich viele Jahre zusammengearbeitet habe, hat mir dieses Rezept verraten. Aber alles andere«, fügte sie hinzu, »ist alte englische Küche.«

»Gibt es überhaupt etwas Besseres?«

»Nun ja, daß Sie das sagen, ist sehr nett von Ihnen. Sie sind Ausländer, vielleicht hätten Sie kontinentale Küche vorgezogen. Derartige Gerichte gelingen mir allerdings nicht recht.«

»Ich bin sicher, Mrs. Ross, daß Ihnen alles gelingt. Sie wissen doch, daß die gute englische Küche, wie man sie in erstklassigen Restaurants findet, von Feinschmeckern auf dem Kontinent sehr geschätzt wird. Und der Plumpudding, den ich heute gegessen habe, war wirklich einmalig. Sie haben ihn selbst gemacht, nicht wahr? Er ist doch nicht etwa gekauft worden?«

»Natürlich nicht. Ich habe ihn allein gemacht nach meinem eigenen Rezept. Ich mache ihn schon seit vielen Jahren so. Als ich kam, sagte Mrs. Lacey, daß sie in einem Londoner Geschäft einen Pudding bestellt hätte, um mir die Mühe zu ersparen. ›Aber nein, Madame‹, habe ich damals gesagt, ›das ist zwar sehr freundlich von Ihnen gemeint, aber es geht nichts über einen hausgemachten Plumpudding.‹ Wohlgemerkt, der Pudding wurde zu spät vor dem Fest zubereitet«, erläuterte Mrs. Ross, die sich als wahre Künstlerin auf diesem Gebiet immer mehr über diese Frage verbreitete. »Ein guter Pudding sollte schon Wochen vor dem Fest fertig sein. Je älter er ist, um so besser. In diesem Jahr hätte es genauso sein sollen. Der Pudding wurde aber in Wirklichkeit erst drei Tage vor dem Fest gemacht — genau einen Tag, bevor Sie zu uns kamen. Ich hielt mich jedoch an den alten Brauch. Jeder mußte in die Küche kommen, den Teig einmal umrühren und sich dabei etwas wünschen.«

»Sehr interessant«, sagte Poirot, »sehr interessant! Es kam also jeder in die Küche?«

»Ja, der junge Herr und Bridget und der junge Herr aus

London, der jetzt hier wohnt, auch seine Schwester und Mr. David und Miss Diana — Mrs. Middleton, wollte ich sagen. Und alle rührten.«

»Wie viele Puddings haben Sie zubereitet? Ist das der einzige?«

»Nein, ich habe vier gemacht: zwei große und zwei kleinere. Den anderen großen Pudding gibt es zu Neujahr und die zwei kleineren sind für Oberst Lacey und seine Frau, wenn sie wieder allein sind und die Familie wieder kleiner geworden ist.«

»Ich verstehe.«

»Sie haben übrigens heute beim Mittagessen den falschen Pudding bekommen.«

»Den falschen Pudding?« Poirot runzelte die Stirn. »Wieso das?«

»Ja — wir bewahren den Weihnachtspudding in einer großen Kuchenform aus Porzellan auf. Obendrauf ist ein Stechpalmen- und Mistelzweigmotiv. Der Weihnachtspudding wird immer in dieser Form gekocht, aber heute morgen passierte ein Unglück. Als Annie die Form vom Bord in der Vorratskammer holte, rutschte sie aus. Sie ließ die Form fallen, und die Schüssel zerbrach. Ich konnte natürlich den Pudding nicht servieren lassen, es hätten ja Splitter darin sein können. Also mußten wir den anderen Pudding nehmen — den für Neujahr, der in einer ganz normalen Schüssel lag. Die Schüssel gibt dem Pudding eine schöne runde Form, aber sie ist nicht so dekorativ wie die Weihnachtspuddingform. Ich weiß wirklich nicht, wo wir eine ähnliche Form wieder kaufen können. Diese Größen werden heute nicht mehr hergestellt. Alles ist winzig klein. Man kann ja heute nicht einmal mehr eine Frühstücksschüssel bekommen, die acht bis zehn Eier mit Schinken faßt. Es ist leider alles nicht mehr so, wie es früher war.«

»Da haben Sie recht«, ergänzte Poirot. »Der heutige Tag bildet aber eine Ausnahme. Dieses Weihnachtsfest ist doch wie in alten Tagen, oder nicht?«

Mrs. Ross seufzte. »Ja, ja, ich freue mich, daß Sie das sagen, aber ich habe nicht mehr so gute Hilfen wie früher. Es fehlt an gelernten Hausgehilfinnen. Die Mädchen von heute —«, sie senkte die Stimme ein wenig, »— geben ja ihr Bestes. Sie haben viel guten Willen, aber keine Erfahrung, wenn Sie verstehen, was ich meine.«

»Die Zeiten ändern sich«, sagte Poirot. »Es stimmt mich selber manchmal traurig.«

»Wissen Sie, dieses Haus ist für die Herrin und den Oberst zu groß. Die Herrin weiß das genau. Wenn beide nur in einem Flügel des Hauses leben, so ist das nicht das Richtige. Das Haus wird erst lebendig, wenn die ganze Familie zu Weihnachten versammelt ist.«

»Ich glaube, Mr. Lee-Wortley und seine Schwester sind zum erstenmal hier?«

»Ja.« Die Stimme von Mrs. Ross klang plötzlich reservierter. »Er ist nett, wirklich, aber — nun ja, er paßt nicht zu Miss Sarah; nach unserer Meinung. Aber dort, in London, denkt man anders. Leider geht es seiner Schwester so schlecht. Sie wurde operiert. Einen Tag nach ihrer Ankunft hier ging es ihr ganz gut, so schien es wenigstens. Nachdem sie aber den Pudding umgerührt hatte, ging es ihr wieder schlechter. Seit diesem Tag hat sie das Bett nicht mehr verlassen. Ich glaube, sie ist zu früh nach der Operation aufgestanden. Ach, die heutigen Ärzte! Sie entlassen einen aus dem Krankenhaus, wenn man sich noch gar nicht auf den Beinen halten kann. Die Frau meines Neffen . . .«

Mrs. Ross begann langatmig und voller Begeisterung von den Krankenhausbehandlungen zu erzählen, denen sich ihre Verwandten einmal unterzogen hatten. Da die Pflege in den früheren Zeiten besser als heute gewesen sei, fiel ihr Vergleich negativ aus. Poirot sprach ihr gebührend sein Mitempfinden aus.

»Ich muß Ihnen zuletzt noch einmal für das ausgezeichnete und üppige Mahl danken. Sie erlauben doch, daß ich mich ein wenig erkenntlich zeige?«

Eine neue Fünfpfundnote wanderte in Mrs. Ross' Hand.

Mechanisch antwortete sie: »Das ist aber wirklich nicht nötig.«

»Ich bestehe darauf, ich bestehe aber darauf.«

»Das ist sehr liebenswürdig von Ihnen, besten Dank.« Mrs. Ross nahm die Anerkennung als selbstverständlich hin. »Ich wünsche Ihnen ein fröhliches Weihnachtsfest und ein erfolgreiches neues Jahr.«

Der erste Weihnachtstag endete, wie die meisten Weihnachts-
tage zu enden pflegen. Am Baum wurden die Kerzen angezündet. Ein herrlicher Weihnachtskuchen wurde zum Tee
hereingetragen. Man bewunderte den Kuchen, aber es wurde
nur wenig gegessen. Am Abend gab es kalte Platte.

Sowohl Poirot als auch die Gastgeberin und der Gastgeber
gingen zeitig zu Bett.

»Gute Nacht, Monsieur Poirot«, sagte Mrs. Lacey. »Ich
hoffe, der Tag hat Ihnen gefallen.«

»Es war ein wundervoller Tag, Madame, einfach wundervoll.«

»Sie sehen so nachdenklich aus.«

»Ich denke über den englischen Pudding nach.«

»War er Ihnen zu schwer?« fragte sie besorgt.

»Nein, nein. Davon kann keine Rede sein. Ich denke über
seine Bedeutung nach.«

»Die Bedeutung liegt allein in der Tradition«, bemerkte
Mrs. Lacey. »Nun gute Nacht, Monsieur Poirot, träumen Sie
nicht zuviel von Rumpasteten und Weihnachtsplumpudding.«

»Ja«, murmelte Poirot vor sich hin, als er sich auszog. »Dieser
Weihnachtsplumpudding ist ein Problem. Irgend etwas ver-
stehe ich daran nicht.« Er schüttelte verdrießlich den Kopf.
»Wir werden ja sehen.«

Nachdem Poirot einige Vorbereitungen getroffen hatte,
legte er sich ins Bett, allerdings nicht, um zu schlafen. Nach
ungefähr zwei Stunden wurde seine Geduld belohnt.

Die Tür seines Schlafzimmers öffnete sich vorsichtig. Er
lächelte vor sich hin. Genau das hatte er erwartet. Er stellte
sich noch einmal vor, wie Desmond Lee-Wortley ihm höflich
eine Tasse Kaffee gereicht hatte. Ein wenig später, als
Desmond mit dem Rücken zu ihm stand, hatte er für ein paar
Sekunden die Tasse auf dem Tisch abgesetzt. Dann hatte er
sie offensichtlich wieder aufgenommen. Zu Desmonds Befriedigung — wenn man das so nennen kann — hatte er den
Kaffee bis zum letzten Tropfen getrunken. Ein Lächeln hob
Poirots Schnurrbart, als er sich vorstellte, daß jetzt nicht er,
sondern ein anderer in einem besonders tiefen Schlaf lag.

»Dieser nette, junge David«, sprach Poirot zu sich selbst.
»Ihn bedrückte etwas, er ist unglücklich. Es wird ihm nichts

schaden, wenn er einmal eine Nacht lang tief schläft. Aber jetzt wollen wir mal sehen, was passiert.«

Poirot lag ganz still, atmete tief und regelmäßig, nur gelegentlich hörte man ihn ein wenig, aber wirklich nur ein wenig schnarchen.

Jemand trat an sein Bett und beugte sich über ihn. Dann wandte sich dieser Jemand zufrieden ab und ging zum Ankleidetisch hinüber. Beim Licht einer winzigen Taschenlampe durchsuchte er Poirots Habseligkeiten, die säuberlich auf dem Ankleidetisch abgelegt waren. Finger durchwühlten die Brieftasche, zogen die Schubladen des Ankleidetisches auf, suchten in Poirots Anzugtaschen. Schließlich näherte sich der Besucher wieder dem Bett und fuhr mit größter Behutsamkeit unter das Kopfkissen. Nachdem er die Hand wieder zurückgezogen hatte, blieb er einen Moment lang stehen — unschlüssig, was er als nächstes tun sollte. Er schlich im Zimmer umher und durchsuchte alles, was zur Zierde dastand. Er ging in das angrenzende Badezimmer, aus dem er aber gleich wieder zurückkam. Dann verließ er das Zimmer mit einem halblaut ausgestoßenen Fluch.

»Ha«, flüsterte Poirot. »Jetzt bist du aber enttäuscht, was? Ja, ja, schwer enttäuscht. Wie konntest du nur annehmen, daß Hercule Poirot etwas dort versteckt, wo du es finden könntest.«

Dann drehte er sich auf die andere Seite und schlief sofort ein. Am nächsten Morgen wurde er durch beharrliches Klopfen an der Tür geweckt.

»*Qui est là?* Herein, herein.«

Die Tür öffnete sich. Atemlos, mit gerötetem Gesicht, stand Colin auf der Schwelle — hinter ihm Michael.

»Monsieur Poirot, Monsieur Poirot!«

»Aber ja, was ist denn?« Poirot setzte sich im Bett auf. »Gibt es schon den Morgentee? Ach nein, du bist es, Colin. Was ist los?«

Colin war einen Augenblick lang sprachlos. Er schien sehr erregt zu sein. In Wirklichkeit war es aber die Schlafmütze, die Hercule Poirot trug und die Colin einen Moment lang die Sprache verschlug. Als er sich wieder gefangen hatte, stotterte er: »Ich glaube — Monsieur Poirot, können Sie uns helfen? Es ist etwas Schreckliches passiert.«

»Was denn?«

»Es ist — es ist Bridget. Sie liegt draußen im Schnee. Ich glaube — sie regt sich nicht mehr und spricht auch nicht. Sie müssen sie sich sofort ansehen. Ich habe furchtbare Angst. Vielleicht ist sie — tot.«

»Was?« Poirot warf die Bettdecke zur Seite. »Mademoiselle Bridget — tot?«

»Ich glaube, jemand hat sie getötet. Sie blutet und — oh, kommen Sie doch!«

Mit großem Geschick schlüpfte Poirot in seine Schuhe und zog seinen pelzgefütterten Mantel über den Schlafanzug.

»Hast du schon alle im Haus alarmiert?«

»Nein, nein, ich habe es bis jetzt nur Ihnen gesagt. Ich dachte, es wäre besser so. Großvater und Großmutter sind noch nicht auf. Unten wird erst der Frühstückstisch gedeckt, aber ich habe Peverell nichts gesagt. Sie liegt hinter dem Haus nahe beim Fenster der Bibliothek — an der Terrasse.«

»Führt mich hin!«

Colin wandte sich schnell ab, damit ihn sein freudiges Grinsen nicht verriet. Er führte Poirot die Treppen hinunter. Sie traten durch eine Nebentür ins Freie. Es war ein klarer Morgen. Die Sonne war gerade aufgegangen. Es schneite nicht mehr, aber es hatte während der Nacht stark geschneit, und ein makelloser, dichter Schneeteppich deckte alles zu. Die Welt sah sehr rein, weiß und schön aus.

»Dort!« sagte Colin atemlos. Er zeigte aufgeregt die Stelle.

Das Bild, das sich ihnen bot, wirkte tatsächlich dramatisch. Wenige Meter entfernt lag Bridget im Schnee. Sie trug einen scharlachroten Schlafanzug. Um ihre Schultern schlang sich ein weißer Schal, den ein blutroter Fleck verunzierte. Ihr Kopf lag auf der Seite. Ihr üppiges schwarzes Haar verdeckte das Gesicht. Ein Arm lag unter dem Körper, der andere war weit weggestreckt, die Hand zur Faust geballt. Mitten in dem hochroten Fleck stak aufrecht der Griff eines großen, geschwungenen kurdischen Dolches, den Oberst Lacey gestern abend den Gästen gezeigt hatte.

»*Mon Dieu!*« rief Monsieur Poirot aus. »Das sieht ja wie im Film aus.«

Michael gab einen erstickten Laut von sich. Colin lenkte die Aufmerksamkeit schnell auf sich.

»Das stimmt«, sagte er. »Es sieht aus, als ob es nicht echt wäre. Sehen Sie die Fußspuren? Man darf sie nicht verwischen.«

»Nein. Die Fußspuren dürfen nicht zertrampelt werden.«

»Das habe ich auch gedacht«, bestätigte Colin. »Deshalb habe ich niemanden an Bridget herangelassen. Ich dachte, Sie wüßten da am besten Bescheid.«

»Ja«, sagte Poirot unvermittelt, »zuerst wollen wir feststellen, ob sie noch lebt.«

»Ja — natürlich«, sagte Michael zögernd, »aber wissen Sie, wir dachten — ich meine, wir wollten nicht . . .«

»Ach, was wolltet ihr nicht? Ihr habt sicher Kriminalromane gelesen. Natürlich ist es wichtig, daß ihr nichts angerührt habt — auch die Leiche nicht. Aber bis jetzt wissen wir noch gar nicht, ob es sich überhaupt um eine Leiche handelt, oder? An erster Stelle steht schließlich der Mensch. Wir müssen zunächst an den Arzt denken, dann erst an die Polizei, meint ihr nicht auch?«

»Ja, selbstverständlich«, antwortete Colin hilflos.

»Wir dachten nur — ich meine, wir dachten, es wäre besser, zuerst Sie zu holen«, ergänzte Michael hastig.

»Ihr bleibt hier stehen! Ich gehe von der anderen Seite an sie heran, damit die Fußspuren nicht verwischt werden. Mein Gott, sind das schöne Fußspuren — ganz deutlich, nicht wahr? Die Fußspuren eines Mannes und eines Mädchens laufen auf die Stelle zu. Die Fußspuren des Mannes führen zurück, die des Mädchens aber — nicht.«

»Das müssen die Fußspuren des Mörders sein«, antwortete Colin. Vor lauter Erregung atmete er kaum.

»Sehr richtig! Ein langer schmaler Fuß mit einem ziemlich seltenen Profil. Sehr interessant. Meiner Meinung nach leicht zu erkennen. Ja, die Fußspuren werden sehr wichtig sein.«

In diesem Augenblick trat Desmond Lee-Wortley mit Sarah aus dem Haus. Sie kamen auf sie zu. »Was, um alles in der Welt, macht ihr denn hier?« fragte er aufgeregt. »Ich habe euch von meinem Schlafzimmer aus beobachtet. Was ist denn los? Großer Gott, das sieht ja — es sieht ja nach . . .«

»Sehr richtig«, antwortete Hercule Poirot. »Es sieht nach Mord aus, nicht wahr?«

Sarah holte tief Luft, dann blickte sie plötzlich die beiden Jungen mißtrauisch an.

»Sie meinen, irgend jemand hätte das Mädchen — wie heißt sie doch —, Bridget, umgebracht?« fragte Desmond. »Wer hätte sie denn töten wollen? Das kann man ja nicht glauben.«

»Es gibt viele Dinge, die man nicht für möglich hält«, sagte Poirot, »besonders wenn sie vor dem Frühstück geschehen. Das hat doch einer eurer Klassiker gesagt: ›Es gibt sechs Dinge, die unmöglich vor dem Frühstück geschehen können.‹« Er fügte hinzu: »Bleiben Sie bitte alle hier stehen!«

Vorsichtig ging er um Bridget herum, trat dann an sie heran und beugte sich über sie.

Colin und Michael wurden von unterdrücktem Lachen geschüttelt. Sarah erging es ähnlich. Sie kannte den Übermut der beiden.

»Die gute Bridget!« flüsterte Colin. »Ist sie nicht herrlich? Kein Muckser bisher.«

»Noch nie habe ich jemanden so tot gesehen wie Bridget«, flüsterte Michael.

Hercule Poirot richtete sich auf.

»Das ist ja furchtbar«, flüsterte er. Seine Stimme klang tonlos, vollkommen verändert.

Aus Angst, laut herauszuplatzen, mußten sich Michael und Colin rasch umdrehen. Mit erstickter Stimme fragte Michael: »Was — was sollen wir nur machen?«

»Uns bleibt nur eins übrig«, antwortete Poirot. »Wir müssen sofort die Polizei holen. Will einer von euch anrufen?«

»Ich glaube, ich glaube — was meinst du, Michael?« fragte Colin.

»Ja, ich meine, der Spaß hat jetzt lange genug gedauert.« Er trat einen Schritt vor. Zum erstenmal schien er ein wenig unsicher zu sein. »Es tut uns sehr leid. Hoffentlich nehmen Sie es uns nicht übel. Sie müssen nämlich wissen, es — äh — es war eine Art Weihnachtsscherz, Monsieur Poirot. Wir dachten — nun ja, wir wollten einen Mord für Sie inszenieren . . .«

»Ihr wolltet einen Mord für mich inszenieren?«

»Es ist nur Theater«, erklärte Colin. »Wir haben es nur gemacht, damit Sie sich wie zu Hause fühlen.«

»Aha! Ich verstehe; ihr wolltet mich in den April schicken, nicht wahr? Aber heute ist nicht der erste April, sondern der sechsundzwanzigste Dezember!«

»Ich glaube, wir hätten es doch nicht tun sollen«, befürchtete Colin, »bitte, sind Sie uns deswegen nicht böse, Monsieur Poirot. Komm, Bridget! Bridget, steh auf! Du mußt ja schon halb erfroren sein.«

Die Gestalt im Schnee rührte sich jedoch nicht.

»Das ist aber merkwürdig«, sagte Poirot, »sie scheint euch nicht zu hören.« Er blickte alle nachdenklich an. »Und es soll ein Scherz sein, sagt ihr? Seid ihr auch sicher, daß es nur ein Scherz ist?«

»Ja, natürlich«, antwortete Colin. Er fühlte sich in seiner Haut nicht mehr wohl. »Wir — wir haben doch nichts Böses beabsichtigt.«

»Und warum steht dann Mademoiselle Bridget nicht auf?«

»Ich weiß es nicht«, erwiderte Colin. »Komm, Bridget«, rief er ungeduldig, »steh doch auf, laß die Dummheiten! Es tut uns wirklich sehr leid, Monsieur Poirot«, sagte Colin verängstigt. »Wir müssen uns bei Ihnen entschuldigen.«

»Sie brauchen sich nicht mehr zu entschuldigen.« Poirots Stimme klang merkwürdig steif.

»Was meinen Sie damit?« Colin starrte ihn an. Er drehte sich noch einmal um. »Bridget, Bridget! Was ist los? Warum stehst du nicht auf? Warum bleibst du denn liegen?«

Poirot winkte Desmond zu.

»Kommen Sie, Mr. Lee Wortley, kommen Sie her —«

Desmond trat zu ihm.

»Fühlen Sie ihren Puls!«

Desmond Lee-Wortley beugte sich zu dem Mädchen hinunter. Er ergriff den Arm — das Handgelenk.

»Ich fühlte keinen Pulsschlag —« Er starrte Poirot an. »Der Arm ist steif. Großer Gott, sie ist tatsächlich tot.«

Poirot nickte. »Ja, sie ist tot«, bestätigte er. »Jemand hat aus der Komödie eine Tragödie gemacht. Hier sind Spuren, die her- und zurücklaufen. Und diese Fußspuren gleichen genau den Ihrigen, die Sie vom Haus bis hierher im Schnee hinterlassen haben, Mr. Lee-Wortley!«

Desmond Lee-Wortley fuhr blitzschnell herum und starrte auf die Spur.

»Was... Beschuldigen Sie etwa mich? Sind Sie verrückt? Warum hätte ich denn dieses Mädchen töten sollen?«

»Tja — warum? Das frage ich Sie auch.«

Poirot beugte sich hinunter und löste sehr sanft ihre steifen Finger.

Desmond atmete schwer. Er traute seinen Augen nicht, als er sah, daß in der Handfläche des toten Mädchens ein großer Edelstein lag. Es schien ein Rubin zu sein. »Das ist ja der verdammte Stein aus dem Pudding!« rief er aus.

»Stimmt das?« fragte Poirot. »Sind Sie sicher?«

»Natürlich ist das der Stein!« Schnell bückte er sich und nahm den roten Stein aus Bridgets Hand.

»Das hätten Sie nicht tun sollen«, sagte Poirot vorwurfsvoll. »Sie durften doch nichts verändern.«

»Ich habe nichts an der Leiche verändert. Aber dieses Ding könnte vielleicht verlorengehen, und es ist doch ein Beweisstück. Das Wichtigste ist jetzt, die Polizei zu holen — so schnell wie möglich. Ich werde anrufen.«

Lee-Wortley drehte sich um und rannte auf das Haus zu. Sarah trat zu Poirot.

»Ich *verstehe* das nicht«, flüsterte sie. Ihr Gesicht war leichenblaß. »Ich verstehe es wirklich nicht.« Sie umklammerte ängstlich Poirots Arm. »Was haben Sie mit — mit den Fußspuren gemeint?«

»Sehen Sie selbst, Mademoiselle.«

Die Fußspuren, die zur Leiche und wieder zurück führten, waren die gleichen, die Desmond im Schnee hinterlassen hatte, als er, vom Haus kommend, mit Poirot an die Leiche des Mädchens herangegangen und wieder zurückgetreten war.

»Sie meinen, es war Desmond?«

Das Aufheulen eines Automotors zerriß plötzlich die Stille. Schnell drehten sich alle um. Sie sahen deutlich, wie ein Auto in rasender Fahrt die Auffahrt hinunterjagte. Sarah erkannte, wem das Auto gehörte. »Desmond!« rief sie. »Es ist Desmond. Sicher fährt er zur Polizei, anstatt zu telefonieren.«

Diana Middleton stürmte aus dem Haus auf sie zu.

»Was ist los?« schrie sie atemlos. »Desmond rannte gerade herein. Er redete etwas von einem Mord und rüttelte am Telefon, aber es war tot. Er bekam keine Verbindung. Er sagte, das Kabel sei durchgeschnitten, und es bliebe nichts anderes übrig, als das Auto zu nehmen und zur Polizei zu fahren. Warum denn die Polizei?« Sie starrte Poirot an. »Bridget? Aber das ist doch — ist das nicht ein Scherz? Ich hörte gestern abend so etwas. Ich dachte, man wollte Ihnen einen Streich spielen, Monsieur Poirot?«

»Ja«, sagte Poirot, »das hatte man vor. Sie wollten mir einen Streich spielen. Aber jetzt kommen Sie bitte alle mit ins Haus. Wir holen uns hier draußen nur den Tod. Wir können sowieso nichts tun, bis Mr. Lee-Wortley mit der Polizei zurück ist.«

»Hören Sie«, sagte Colin, »wir können doch Bridget nicht hier allein lassen.«

»Es hilft nichts mehr, wenn ihr bei ihr bleibt«, sagte Poirot. »Wir können Mademoiselle Bridget nicht wieder zum Leben erwecken. Gehen wir also hinein und wärmen uns auf. Vielleicht sollten wir eine Tasse heißen Tee oder eine Tasse Kaffee trinken.«

Sie folgten ihm gehorsam ins Haus. Peverell wollte gerade den Gong schlagen. Selbst wenn Peverell es für merkwürdig gehalten hatte, daß die meisten Hausbewohner schon draußen im Schnee waren und Monsieur Poirot in Schlafanzug und Mantel herumlief, so ließ er sich nichts anmerken. Peverell war trotz seines Alters ein perfekter Butler. Er bemerkte nichts, was er nicht bemerken sollte. So gingen sie ins Eßzimmer und setzten sich. Als der Kaffee gebracht war und alle tranken, begann Poirot mit seiner Erklärung.

»Ich muß Ihnen eine Geschichte erzählen, die ich zwar nicht in allen Einzelheiten schildern kann, aber doch in groben Umrissen. Sie handelt von einem jungen Prinzen, der dieses Land besuchte. Er brachte einen berühmten Edelstein mit, den er für seine zukünftige Frau umarbeiten lassen sollte. Das Unglück wollte es, daß er eine sehr hübsche junge Dame kennenlernte. Diese junge Dame interessierte sich weniger für den Prinzen, aber sie hatte sich in seinen Edelstein verliebt — und zwar so sehr, daß sie eines Tages mit ihm verschwand. Dieser Stein ist historisch wertvoll, er ist seit Generationen im Besitz der Familie. Wie man sich vorstellen kann, befand sich der Prinz nun in einer verzwickten Lage. Ein Skandal durfte auf keinen Fall entstehen. Es war nicht ratsam, die Polizei zu alarmieren. Daher kam der Prinz zu mir, zu Hercule Poirot. ›Bringen Sie mir den historischen Rubin zurück‹, bat er. Nun hatte besagte junge Dame einen Freund, der bislang in mehrere zwielichtige Geschäfte verwickelt war. Sein Name wurde im Zusammenhang mit Erpressung und Verkauf von Schmuck im Ausland genannt. Jedesmal handelte er sehr geschickt, und man konnte ihm niemals etwas nachweisen. Ich erfuhr, daß dieser schlaue Herr das Weihnachtsfest in diesem Haus verbringen würde. Wichtig war ihm dabei, daß die hübsche junge Dame eine Zeitlang nicht gesehen werden durfte, nachdem sie sich den Edelstein verschafft hatte, damit niemand sie unter Druck setzen und niemand ihr Fragen stellen konnte. So kam sie nach Kings Lacey — angeblich als Schwester dieses sauberen Herrn.«

Sarah holte tief Luft.

»Nein! Das kann nicht wahr sein.«

»Doch! Genau das. Mit Hilfe einiger Tricks wurde auch ich zum Weihnachtsfest eingeladen. Angeblich sollte die junge Dame gerade aus dem Krankenhaus entlassen worden sein. Als sie hier ankam, ging es ihr schon besser. Da erfuhr sie, daß auch ich, ein Detektiv, ein sehr bekannter Detektiv, hierherkommen würde. Sofort fiel ihr das Herz in die Hose, so sagt man doch. Sie versteckte den Rubin an der erstbesten Stelle, die ihr einfiel. Dann hatte sie schnell einen Rückfall und hütete seitdem das Bett. Sie wollte nicht von mir gesehen werden, denn zweifelsohne würde ich eine Fotografie von ihr haben und sie sofort wiedererkennen. Sie langweilte sich natürlich sehr, mußte aber in ihrem Zimmer bleiben. Der Bruder brachte ihr sogar das Essen nach oben.«

»Und der Rubin?« fragte Michael.

»Ich glaube, die junge Dame war mit euch allen in der Küche, als man meine Ankunft erwähnte. Alles lachte, redete und rührte den Pudding um. Der wurde in die Schüsseln verteilt, und die junge Dame versteckte den Rubin, indem sie ihn in eine der Puddingschüsseln fallen ließ — und zwar in die Schüssel, die nicht für das Weihnachtsfest bestimmt war. Sie wußte genau, daß der Weihnachtspudding in einer besonderen Form aufbewahrt wurde. Sie preßte den Stein in den anderen Pudding — in denjenigen, der zu Neujahr gegessen werden sollte. Bis dahin hatte sie genügend Zeit, ihre Abreise vorzubereiten. Wenn sie ging, wollte sie natürlich den Neujahrspudding mitnehmen. Am Morgen des Weihnachtstages passierte dann ein Unglück. Der Pudding in der phantasievoll verzierten Weihnachtsform wurde fallen gelassen. Die Form zersprang auf dem Steinfußboden in viele Stücke. Was sollte man tun? Die gute Mrs. Ross nahm also den Neujahrspudding und ließ ihn servieren.«

»Guter Gott!« rief Colin aus. »Wollen Sie damit sagen, daß der Rubin echt war, den Großvater, als er seinen Pudding aß, aus dem Mund holte?«

»Genau! Und du kannst dir vorstellen, was in Mr. Lee-Wortley vorging, als er es bemerkte. *Eh bien*, was geschah als nächstes? Der Rubin wurde herumgereicht. Ich prüfte ihn.

Es gelang mir, ihn unauffällig in meine Tasche gleiten zu lassen. Ich machte es ganz unauffällig, als geschähe es ganz aus Versehen. Ein bestimmter Jemand beobachtete allerdings genau, was ich tat. Als ich im Bett lag, durchsuchte er mein Zimmer. Er tastete mich sogar ab, aber er fand den Rubin nicht.«

»Weil Sie ihn Bridget gegeben hatten«, vermutete Michael atemlos. »Das meinen Sie doch, das ist also der Grund. Aber ich verstehe nicht ganz — ich meine... Hören Sie, was geschah dann?«

Poirot lächelte ihn an. »Kommt in die Bibliothek und schaut zum Fenster hinaus! Ich werde euch dort etwas zeigen, was das Geheimnis aufklärt.« Er ging voraus, und sie folgten ihm. »Denkt noch einmal an den Schauplatz des Verbrechens!«

Er zeigte zum Fenster hinaus, und alle hielten zur gleichen Zeit die Luft an. Im Schnee lag keine Leiche mehr! Nichts deutete mehr auf eine Tragödie, nur eine Menge zertrampelten Schnees war zu sehen.

»Ich habe das doch nicht geträumt«, murmelte Colin fast unhörbar. »Hat jemand die Leiche weggeschafft?«

»Ah«, sagte Poirot. »Das Geheimnis der verschwundenen Leiche!« Er nickte mit dem Kopf und zwinkerte mit den Augen.

»Monsieur Poirot«, rief Michael, »haben Sie uns vielleicht die ganze Zeit an der Nase herumgeführt?«

Poirot lächelte verschmitzt.

»Es ist wahr, Kinder, ich habe mir einen kleinen Spaß erlaubt. Ich wußte nämlich von eurem Plan und bereitete einen Gegenplan vor... *Ah, voilà*, Mademoiselle Bridget! Hoffentlich stellen sich keine schlimmen Folgen ein, weil Sie lange im Schnee gelegen haben. Ich würde mir nie verzeihen, wenn Sie sich eine Erkältung zugezogen hätten.«

Bridget hatte gerade das Zimmer betreten. Sie trug einen dicken Rock und einen Wollpullover. Sie lachte.

»Ich habe Ihnen einen Kräutertee bringen lassen«, sagte Poirot ernst. »Haben Sie ihn schon getrunken?«

»Nur einen Schluck. Mir fehlt nichts. War ich gut, Monsieur Poirot? Du liebe Güte, mir tut noch alles weh von dem Stangenkreuz, auf das ich mich legen mußte, weil Sie es so wollten.«

»Sie waren großartig, mein Kind, einfach großartig. Aber die anderen wissen noch nicht Bescheid... Letzte Nacht ging ich also zu Mademoiselle Bridget. Ich erzählte ihr, daß ich von eurer kleinen Verschwörung wußte, und ich fragte sie, ob sie für mich eine Rolle spielen würde. Sie war sehr geschickt. Für die Fußspuren benutzte sie ein Paar Schuhe von Mr. Lee-Wortley.«

Sarah fragte barsch dazwischen: »Was soll das, Monsieur Poirot? Was hat das für einen Sinn, wenn Sie Desmond weg-schicken, damit er die Polizei holt? Sie wird wütend sein, wenn sie erfährt, daß alles nur ein Scherz war.«

Poirot schüttelte leicht den Kopf.

»Aber ich glaube nicht eine Sekunde lang, daß Mr. Lee-Wortley die Polizei holt. Er will mit einem Mord nichts zu tun haben. Er verlor völlig die Nerven. Er dachte nur noch an eines: den Rubin zu bekommen. Er griff sich den Stein, gab vor, daß das Telefon kaputt wäre, und raste unter dem Vor-wand, die Polizei zu holen, in seinem Auto davon. Ich bin überzeugt, daß er sich nicht wieder sehen lassen wird. Wie ich weiß, verfügt er über ein schnelles Mittel, aus England fliehen zu können. Er besitzt doch ein Flugzeug, nicht wahr, Mademoiselle?«

Sarah nickte.

»Ja«, sagte sie. »Wir dachten daran . . .« Sie sprach nicht weiter.

»Er wollte Sie damit entführen, nicht wahr? *Eh bien,* das ist eine ausgezeichnete Methode, um Edelsteine aus dem Land zu schmuggeln. Wenn man ein Mädchen entführt, und die Öffentlichkeit erfährt etwas davon, dann wird keiner auf den Gedanken kommen, daß auch ein historisch wertvoller Rubin mit aus dem Land geschmuggelt wird. Das wäre eine gute Tarnung gewesen.«

»Ich glaube das nicht, ich glaube Ihnen kein Wort.«

»Fragen Sie seine Schwester!« Poirot nickte jemandem über Sarahs Schulter hinweg zu. Diese drehte sich schnell um.

Eine Platinblonde stand im Türrahmen. Sie trug einen Pelz-mantel und blickte prüfend um sich. Sie war offensichtlich fassungslos.

»Ich und seine Schwester! So ein Unsinn!« lachte sie laut und unsympathisch auf. »Der Kerl ist nicht mein Bruder! Er hat sich also aus dem Staub gemacht, und ich soll nun die Suppe auslöffeln. Das Ganze war *seine* Idee. *Er* hat mich da-zu überredet. Er sagte, daß das gestohlene Zeug viel Geld bringen würde und daß wegen des Skandals nie Nachforschungen angestellt würden. Ich könnte Ali immer erpressen, wenn ich verraten wollte, daß *er* mir den wertvollen Stein gegeben habe. In Paris wollten wir uns die Beute teilen ... Und jetzt läßt mich der Dreckskerl im Stich. Ich könnte ihn umbringen!« Sie wandte sich mit einem Ruck um. »Je eher ich verschwinde ... Bestellt mir jemand ein Taxi?«

»Das Auto wartet schon vor der Haustür auf Sie. Es bringt Sie zum Bahnhof, Mademoiselle«, schnarrte Poirot.

»Sie denken an alles, oder?«

»Fast an alles«, lächelte Poirot selbstzufrieden. Er sollte jedoch noch nicht entlassen sein.

Als er das Eßzimmer betrat, nachdem er die angebliche Miss Lee-Wortley zum wartenden Auto begleitet hatte, wartete Colin auf ihn. Ein finsterer Ausdruck lag auf seinem jungen Gesicht. »Jetzt hören Sie mir mal zu, Monsieur Poirot! Was ist denn mit dem Rubin? Soll das heißen, daß er mit dem Rubin entwischt ist?«

Poirot machte ein langes Gesicht. Er drehte an seinem Schnurrbart. Er fühlte sich nicht wohl in seiner Haut. So schien es wenigstens.

»Ich werde ihn wiederbekommen«, sagte er schwach. »Es gibt noch andere Wege. Ich werde ...«

»Hm«, ließ sich Michael vernehmen. »Wenn ich bedenke, daß Sie den Gauner mit dem Rubin entwischen ließen —«

Bridget war schlauer.

»Er zieht uns wieder auf«, sagte sie. »Inzwischen kenne ich Sie, nicht wahr, Monsieur Poirot?«

»Wollen wir zum Schluß noch ein Zauberkunststückchen vorführen, Mademoiselle? Greifen Sie in meine linke Tasche!«

Bridget griff hinein. Mit einem Freudenschrei zog sie die Hand wieder heraus. Sie hielt den großen Rubin hoch, der prachtvoll und blutrot funkelte.

»Jetzt wissen Sie also«, sagte Poirot, »daß der Stein, den Sie mit Ihrer Hand fest umklammerten, eine Nachahmung ist. Ich brachte sie für den Fall aus London mit, daß ich Ersatz brauchen würde. Verstehen Sie nun? Wir wollten keinen Skandal. Monsieur Desmond wird versuchen, die Imitation in Paris oder Brüssel oder in irgendeiner anderen Stadt, wo er Verbindungen hat, zu verkaufen. Dort wird man dann feststellen, daß der Rubin nicht echt ist. Hauptsache: wir haben den richtigen. Was können wir uns Besseres wünschen? Alles endet zu unserer Zufriedenheit. Der Skandal ist vermieden worden, mein Prinzensöhnchen bekommt seinen Rubin wieder, er kehrt in sein Land zurück und geht, um eine Erfahrung reicher, eine hoffentlich gute Ehe ein. Ende gut — alles gut.«

»Abgesehen von mir«, murmelte Sarah fast unhörbar.

Sie sprach so leise, daß Poirot als einziger ihren Einwand hörte. Er sah sie freundlich an und schüttelte den Kopf.

»Sie täuschen sich, Mademoiselle Sarah. Sie haben auch dazugelernt. Jede Erfahrung ist wertvoll, und eine glückliche Zeit liegt vor Ihnen. Das prophezeie ich Ihnen.«

»Das sagen *Sie*«, entgegnete Sarah.

»Aber hören Sie, Monsieur Poirot«, Colin blickte finster drein, »wie haben Sie unseren Plan erfahren?«

»Meine Aufgabe ist es, alles zu wissen«, antwortete Monsieur Poirot. Er drehte an seinem Schnurrbart.

»Ja, gut, aber ich kann mir nicht vorstellen, wie Sie das geschafft haben. Hat uns jemand verpfiffen? Ist jemand zu Ihnen gekommen und hat es erzählt?«

»Nein, das nicht.«

»Wie haben Sie es dann erfahren?«

Alle baten im Chor: »Ja, erzählen Sie!«

»Aber nein«, protestierte Poirot. »Wenn ich verrate, wie ich es erfahren habe, werdet ihr enttäuscht sein. Es ist wie bei einem Zauberkünstler, der verrät, wie er seine Kunststücke macht.«

»Erzählen Sie doch, Monsieur Poirot, bitte! Erzählen Sie!«

»Ihr wollt wirklich, daß ich dieses letzte Geheimnis aufdecke?«

»Ja, erzählen Sie!«

»Ach, ich glaube, ich kann es nicht. Ihr werdet sehr enttäuscht sein.«

»Ach, bitte doch, Monsieur Poirot, erzählen Sie. Wie haben Sie es erfahren?«

»Nun gut. Ich saß, müßt ihr wissen, vorgestern nach dem Tee in der Bibliothek am Fenster und ruhte mich in einem Sessel aus. Dabei schlief ich ein. Als ich aufwachte, spracht ihr ganz in meiner Nähe über euren Plan — nur draußen vor dem Fenster. Und dieses stand offen.«

»Das ist alles?« fragte Colin. Er ärgerte sich. »So einfach!«

»Nicht wahr?« sagte Poirot lächelnd. »Seht ihr, nun seid ihr enttäuscht.«

»Na gut«, erwiderte Michael. »Jedenfalls wissen wir jetzt alles.«

»Stimmt das tatsächlich?« murmelte Poirot vor sich hin. »Ich weiß jedenfalls noch *nicht* alles, obwohl es doch meine Aufgabe wäre, über alles Bescheid zu wissen.«

Er trat in die Vorhalle hinaus und schüttelte den Kopf. Wohl zum zwanzigstenmal zog er aus seiner Tasche ein ziemlich schmutziges Blatt Papier hervor und las: ESSEN SIE NICHTS VON DEM PLUMPUDDING! JEMAND, DER ES GUT MIT IHNEN MEINT.

Hercule Poirot schüttelte nachdenklich den Kopf. Er, der sich alles erklären konnte, fand für diese Warnung keine Erklärung. Was für eine Demütigung! Wer hatte den Zettel geschrieben? Aus welchem Grund war er geschrieben worden? Er wußte, er würde erst wieder Ruhe finden, wenn er dieses Rätsel gelöst hatte. Plötzlich schrak er aus seinen Überlegungen auf und hörte seltsam keuchende Laute. Aufmerksam sah er auf den Boden. Dort machte sich ein mit Schaufel und Besen bewaffnetes flachsblondes Wesen zu schaffen. Es starrte mit großen runden Augen auf den Zettel in seiner Hand.

»Oh!« rief die Erscheinung. »Oh! Bitte sehr!«

»Wer sind Sie denn, *mon enfant?*« fragte Poirot freundlich.

»Annie Bates, bitte sehr. Ich helfe Mrs. Ross. Ich wollte, ich wollte nichts — nichts Unrechtes tun. Ich habe es nur gut gemeint. Ich meine, ich wollte nur Ihr Bestes.«

Poirot ging ein Licht auf. Er hielt ihr den schmutzigen Zettel hin. »Haben Sie das geschrieben, Annie?«

»Ich wollte nichts Böses anrichten. Wirklich nicht, glauben Sie mir.«

»Natürlich wollten Sie das nicht, Annie.« Er lächelte sie an. »Aber erzählen Sie mir bitte, warum Sie diesen Zettel geschrieben haben?«

»Nun, da waren die zwei, Mr. Lee-Wortley und seine Schwester. Ich wußte, daß sie in Wirklichkeit nicht seine Schwester war. Keiner von uns hat das geglaubt. Sie war auch kein bißchen krank. Das haben wir alle gewußt. Wir haben geglaubt, daß etwas nicht stimmt. Ich sage es Ihnen rundheraus. Ich war in ihrem Badezimmer, um saubere Handtücher hinzulegen, und habe an der Tür gehorcht. ›Dieser Detektiv‹, hat er gesagt, ›dieser Kerl, der Poirot, kommt hierher. Wir müssen irgendwas unternehmen. Wir müssen ihn so rasch wie möglich aus dem Weg räumen.‹ Dann hat er leiser gesprochen und sie in einem bösartigen Ton gefragt: ›Wo hast du das hingetan?‹ Und sie antwortete ihm: ›In den Pudding.‹ Ich bekam einen furchtbaren Schreck. Ich habe gedacht, mir würde das Herz aussetzen. Ich habe gedacht, daß die beiden Sie mit dem Weihnachtspudding vergiften wollten. Ich habe nicht gewußt, was ich tun sollte. Mrs. Ross hätte auf jemanden wie mich nicht gehört. Da bin ich auf die Idee gekommen, Ihnen einen Zettel zu schreiben, um Sie zu warnen. Ich legte ihn auf das Kissen. Dort würden Sie ihn finden.« Annie konnte vor Atemlosigkeit nicht weiterreden. Poirot sah sie einige Minuten lang ernst an.

»Sie sehen zu viele Gangsterfilme, glaube ich, Annie«, sagte er schließlich. »Oder vielleicht ist das Fernsehen daran schuld. Das Wichtigste ist aber, daß Sie eine gute Seele sind und eine gewisse Phantasie haben. Wenn ich wieder in London bin, werde ich Ihnen ein Geschenk schicken.«

»Oh, danke, recht herzlichen Dank!«

»Was möchten Sie gern haben, Annie?«

»Kriege ich alles, was ich mir wünsche? Kriege ich wirklich das, was ich mir wünsche?«

»Ja. Es muß sich natürlich in Grenzen halten«, antwortete Poirot vorsichtig.

»Oh, könnte ich ein Kosmetiktäschchen bekommen? So ein wirklich todschickes, piekfeines Kosmetiktäschchen wie das von Mr. Lee-Wortleys Schwester?«

»Das ist interessant«, redete er leise und versonnen vor sich hin. »Vor einiger Zeit war ich im Museum und sah mir mehr als tausend Jahre alte Funde aus Babylon und ähnlichen Orten an — darunter waren auch Kosmetikschachteln. Die Frauen ändern sich im Grunde nicht.«

»Wie bitte?«

»Es war nicht wichtig«, antwortete Poirot. »Ich dachte nur nach. Sie werden Ihr Kosmetiktäschchen bekommen.«

»Oh, danke schön, vielen herzlichen Dank.« Annie ging froh davon. Poirot sah ihr nach und nickte zufrieden mit dem Kopf.

»Tja«, sagte er zu sich selbst. »Und jetzt gehe ich. Ich habe meine Aufgabe hier erfüllt.« Unerwartet legten sich in diesem Augenblick von hinten zwei Arme um seine Schultern.

»Da Sie gerade unter dem Mistelzweig stehen —«

Es war Bridget. Hercule Poirot genoß es, er genoß es sehr. Er sagte sich, daß es ein sehr schönes Weihnachtsfest sei . . .

Es war unzweifelhaft ein altes Haus. Der ganze Ort war alt, von jenem abweisenden, ehrwürdigen Alter, das man so oft in Städten mit Kathedralen trifft. Das Haus Nummer 19 machte den Eindruck, als sei es das älteste von allen. Es stand da in wahrhaft patriarchalischer Strenge — seine Türmchen waren vom grauesten Grau, von der hochmütigsten Hochmütigkeit, vom frostigsten Frost. Streng, achtunggebietend und von der besonderen Einsamkeit geprägt, die allen Häusern eigen ist, die lange Zeit unbewohnt sind, dominierte es über die anderen Wohnhäuser.

In jeder anderen Stadt hätte man es als Spukhaus bezeichnet, aber Weyminster hegte tiefen Widerwillen gegen Geister und betrachtete sie nicht als verehrungswürdig, außer wenn es sich um frühere Angehörige der Grafschaftsfamilie handelte. So wurde dem Haus das Gerücht des Spuks verwehrt; nichtsdestoweniger stand es Jahr für Jahr »zu vermieten« und »zu verkaufen«.

Mrs. Lancaster betrachtete das Haus wohlwollend, als es ihr der geschwätzige Immobilienmakler zeigte. Er war ungewöhnlich heiterer Stimmung bei dem Gedanken, die Nummer 19 bald aus seinen Büchern streichen zu können. Als er den Schlüssel ins Haustürschloß steckte, redete er ununterbrochen auf sie ein und sparte weder mit lobenden Kommentaren noch mit Komplimenten.

»Wie lange steht das Haus leer?« erkundigte sich Mrs. Lancaster, indem sie seinen Wortschwall brüsk unterbrach.

Mr. Raddish von der Firma Raddish & Foplow wand sich verlegen.

»Äh — äh — einige Zeit«, bemerkte er sanft.

»Das habe ich mir gedacht«, sagte Mrs. Lancaster trocken.

Die spärlich beleuchtete Vorhalle war eiskalt, feucht und düster. Eine phantasievollere Frau hätte einen unheimlichen Schauer verspürt, aber diese Frau war ausschließlich praktisch veranlagt. Sie war hochgewachsen, ihr Haar war dunkelbraun und voll, mit einem leichten grauen Schimmer, und ihre Augen waren von kaltem Blau.

Sie untersuchte das Haus vom Speicher bis zum Keller genau und stellte von Zeit zu Zeit Fragen. Als die Inspektion vorbei war, ging sie in eines der vorderen Zimmer, deren Fenster zur Straße lagen, und blickte mit entschlossener Miene dem Agenten ins Auge.

»Was ist mit diesem Haus los?«

Mr. Raddish tat sehr verwundert.

»Ein unbewohntes Haus wirkt immer ein wenig unheimlich. Das ist natürlich«, parierte er schwach.

»Unsinn«, sagte Mrs. Lancaster. »Die Miete ist lächerlich niedrig für das Haus, rein nominell — so, als ob man aus bestimmten Gründen sich nicht getrauen würde, es gleich zu verschenken. Dafür muß es doch einen Grund geben. Ich nehme an, es spukt hier.«

Mr. Raddish schüttelte nervös auflachend den Kopf, sagte aber nichts. Mrs. Lancaster beobachtet ihn neugierig. Nach einigen Augenblicken sprach sie weiter: »Natürlich ist das Unsinn. Ich glaube nicht an Geister oder ähnliches, und es hat keinen Einfluß darauf, ob ich das Haus nehme oder nicht. Aber die Bediensteten sind leider abergläubisch und ängstlich. Es wäre also nett von Ihnen, mir zu erzählen, welcher Art der Spuk in diesem Haus sein soll.«

»Äh, das weiß ich wirklich nicht«, stammelte der Häuseragent.

»Doch, Sie wissen es«, sagte die Dame ruhig. »Ich kann das Haus nicht nehmen, wenn ich das nicht weiß. Was war los? Ein Mord?«

»Nein, nein!« rief Mr. Raddish, empört bei dem Gedanken, daß etwas so Entsetzliches mit der Ehrbarkeit des Platzes in Verbindung gebracht werden konnte. »Es ist — es ist ein Kind.«

»Ein Kind?«

»Ja. Ich kenne die Geschichte nicht genau«, begann er zögernd. »Es gibt die verschiedensten Versionen, aber ich hörte, daß vor ungefähr dreißig Jahren ein Mann namens William die Nummer 19 nahm. Niemand wußte etwas über ihn. Er hielt keine Diener. Er hatte keine Freunde. Er ging tagsüber selten aus. Er hatte ein Kind, einen kleinen Jungen. Nachdem er zwei Monate hier gewesen war, ging er nach London, und kaum hatte er den Fuß in die Stadt gesetzt, als man ihn als einen ›von der Polizei Gesuchten‹ erkannte. Weswegen, weiß ich nicht. Aber es muß ein schweres Verbrechen gewesen sein, denn bevor man ihn fassen konnte, zog er es vor, sich selbst zu erschießen. In der Zwischenzeit war das Kind hier allein in dem Haus. Es hatte zwar noch für eine Zeitlang zu essen, aber es wartete vergeblich Tag für Tag darauf, daß sein Vater zurückkäme. Unglücklicherweise war ihm eingetrichtert worden, unter keinen Umständen das Haus zu verlassen noch mit jemandem zu sprechen. Es war ein schwaches, kränkliches, kleines Geschöpf und dachte nicht im Traum daran, dem Befehl seines Vater zuwiderzuhandeln. Nachts hörten es die Nachbarn, die nicht wußten, daß sein Vater fortgegangen war, oft in der schrecklichen Einsamkeit und Verlassenheit des düsteren Hauses wimmern.«

Mr. Raddish machte eine Pause.

»Und dann ist das Kind verhungert«, schloß er im gleichen Tonfall, in dem er auch hätte sagen können, es würde gleich zu regnen anfangen.

»Und jetzt nimmt man an, daß der Geist des Kindes in dem Haus herumspukt?« fragte Mrs. Lancaster.

»Es ist nichts von Bedeutung«, beeilte sich Mr. Raddish zu versichern. »Man hat nie etwas gesehen, nur — es ist natürlich lächerlich, wenn die Leute behaupten, sie hörten das Kind weinen, wissen Sie.«

Mrs. Lancaster ging auf die Haustür zu.

»Mir gefällt das Haus«, entschied sie. »Für diesen Preis werde ich nichts Besseres finden. Ich werde darüber nachdenken, dann gebe ich Ihnen Bescheid.«

»Es sieht wirklich heiter aus, nicht wahr, Papa?«

Mrs. Lancaster betrachtete ihr neues Besitztum voller Genugtuung. Bunte Teppiche, glänzend polierte Möbel und viele Nippsachen hatten die Nummer 19 mit ihrer Düsterkeit völlig verwandelt.

Sie sprach mit einem mageren, etwas gebeugten alten Mann mit krummen Schultern und einem feingeschnittenen, geheimnisvollen Gesicht.

Mr. Winburn hatte keinerlei Ähnlichkeit mit seiner Tochter, man konnte sich kaum einen stärkeren Gegensatz vorstellen. Sie war resolut und praktisch, er verträumt und abwesend.

»Ja«, antwortete er lächelnd, »keiner käme auf die Idee, in dem Haus einen Spuk zu vermuten.«

»Papa, rede keinen Unfug! Und das an unserem ersten Tag.«

Mr. Winburn lächelte.

»Nun gut, mein Liebling, einigen wir uns darauf, daß es so etwas wie Geister nicht gibt.«

»Und bitte«, fuhr Mrs. Lancaster fort, »erwähne nichts davon vor Geoff. Er hat zu viel Phantasie.«

Geoff war Mrs. Lancasters kleiner Bub. Die Familie bestand aus Mr. Winburn, seiner verwitweten Tochter und Geoffrey.

Der Regen schlug gegen die Fensterscheiben — tripp-trapp, tripp-trapp.

»Hör mal?« fragte Mr. Winburn. »Klingt das nicht wie kleine Schritte?«

»Es klingt nach Regen«, sagte Mrs. Lancaster mit einem Lächeln.

»Aber das — das sind Schritte«, schrie ihr Vater und beugte sich vor, um besser lauschen zu können.

Mrs. Lancaster lachte laut auf.

»Tatsächlich, du hast recht. Da kommt Geoff die Treppe herunter.«

Mr. Winburn mußte auch lachen. Sie tranken Tee im Salon, und er hatte mit dem Rücken zur Treppe gesessen. Jetzt rückte er seinen Stuhl herum, um besser zur Treppe sehen zu können.

Da kam gerade der kleine Geoffrey herunter, ziemlich langsam und zögernd, mit der Scheu des Kindes vor einem fremden Haus. Die Treppen waren aus polierter Eiche, und es lag kein Läufer darauf. Er kam herüber und stellte sich neben seine Mutter. Mr. Winburn fuhr leicht hoch. Während das Kind durch die Halle gekommen war, hatte er deutlich andere Fußtritte auf der Treppe gehört, wie von jemandem, der Geoffrey nachschlich. Schleppende Schritte, die merkwürdig gequält klangen.

Dann zuckte Mr. Winburn ungläubig die Achseln. Sicher der Regen, sicher der Regen, dachte er.

»Ich sehe, ihr habt Sandkuchen«, bemerkte Geoff mit der bewundernswert unbeteiligten Miene von jemandem, der eine interessante Tatsache hervorhebt.

Seine Mutter beeilte sich, seinem Wink zu entsprechen.

»Nun, mein Schatz, wie gefällt dir dein neues Heim?« fragte sie.

»Au, prima«, entgegnete Geoffrey, eifrig kauend. »Ganz prima, einmalig.«

Nach dieser letzten Aussage, die offensichtlich Ausdruck tiefster Zufriedenheit war, verfiel er in Schweigen, einzig noch bedacht, den Sandkuchen in kürzestmöglicher Frist aus menschlicher Sicht zu entfernen. Nachdem er den letzten Bissen hinuntergeschlungen hatte, begann er zu erzählen.

»Oh, Mammi, hier gibt's Speicher, sagt Jane. Kann ich gleich mal 'raufgehen und sie untersuchen? Vielleicht gibt's da Geheimtüren. Jane sagt, es gebe keine, aber es gibt doch welche — bestimmt, und ich weiß auch, daß es dort Wasserleitungen gibt. Kann ich damit spielen, und darf ich mal den Bo-i-ler sehen?«

Das vorletzte Wort hatte er mit einer solchen Begeisterung ausgesprochen, wobei seinem Großvater ärgerlich einfiel, daß dieses Objekt kindlichen Entzückens in seiner eigenen Beurteilung leider nur die Vorstellung von heißem Wasser, das gar nicht warm war, aber von hohen und zahlreichen Rechnungen der Rohrleger hervorrief.

»Die Speicher werden wir uns morgen ansehen, mein Kind«, sagte Mrs. Lancaster. »Wie wäre es denn, wenn du dir deine Bauklötze holtest und ein hübsches Haus bautest? Oder eine Lokomotive?«

»Will aber kein Haus bauen. Kein Haus und auch keine Lokomotive.«

»Bau doch einen Boiler«, schlug der Großvater vor.

Geoffrey strahlte.

»Mit Leitungen?«

»Ja, mit ganz vielen Leitungen, hörst du?«

Geoffrey rannte schon glückstrahlend los, seine Bauklötze zu holen.

Es regnete noch immer. Mr. Winburn lauschte. Ja, es mußte doch wohl der Regen gewesen sein, was er da gehört hatte; aber es hatte sich täuschend ähnlich wie Schritte angehört.

In der darauffolgenden Nacht hatte er einen sonderbaren Traum.

Er träumte, er spaziere durch die Stadt — eine Großstadt, wie ihm schien. Aber es war eine Kinderstadt. Es gab überhaupt keine Erwachsenen darin; nur Kinder, in ganzen Mengen. In seinem Traum rannten sie alle auf den Fremden zu, indem sie schrien: »Hast du ihn mitgebracht?« Ihm schien, er habe verstanden, was sie meinten, und schüttelte den Kopf.

Als die Kinder das sahen, wandten sie sich ab und begannen zu weinen und bitterlich zu schluchzen. Die Stadt und die Kinder entschwanden, und er erwachte.

Er lag in seinem Bett, aber das bitterliche Schluchzen war noch in seinen Ohren. Obwohl hellwach, hörte er es ganz deutlich. Da fiel ihm ein, daß Geoffrey im Stockwerk unter ihm schlief, während das Geräusch kindlichen Jammers von oben kam. Er setzte sich auf und zündete ein Streichholz an. Sofort hörte das Schluchzen auf.

Mr. Winburn sagte seiner Tochter nichts von seinem Traum und dem, was er gehört hatte. Er war davon überzeugt, daß es kein Streich oder gar eine Einbildung seinerseits war. Tatsächlich hörte er bald darauf wieder etwas, und zwar am hell-lichten Tag. Der Wind heulte im Kamin, aber da war noch ein anderes Geräusch — deutlich hörbar, unmißverständlich: herzzerreißende kleine Schluchzer.

Er bekam auch bald heraus, daß er nicht der einzige war, der dies hörte. Er kam hinzu, wie das Dienstmädchen zum Stubenmädchen sagte, daß sie glaube, das Kindermädchen sei nicht gut zum kleinen Geoffrey, denn sie hätte gehört, wie schrecklich er heute morgen geweint habe. Später kam Geoffrey zum Frühstück und zum Mittagessen herunter, strahlend vor Gesundheit und Glück. Und Mr. Winburn wußte, daß es nicht Geoff gewesen sein konnte, den das Dienstmädchen weinen gehört hatte, sondern das andere Kind, dessen schleppende Schritte ihn eben mehr als einmal hatten hochfahren lassen.

Nur Mrs. Lancaster hörte nichts. Ihre Ohren waren vielleicht nicht empfänglich für Geräusche aus einer anderen Welt. Doch eines Tages erhielt auch sie einen Schock.

»Mammi«, sagte Geoffrey mit kläglicher Stimme. »Ich möchte, daß du mich mit dem kleinen Jungen spielen läßt.«

Mrs. Lancaster sah mit einem Lächeln von ihrem Schreibtisch auf.

»Mit was für einem Jungen denn, mein Liebling?«

»Ich weiß nicht, wie er heißt. Er war auf dem Speicher, er saß da auf dem Fußboden und weinte, aber er rannte weg, als er mich sah. Ich glaube, er ist sehr scheu« — ein Schimmer von Zufriedenheit huschte dabei über Geoffreys Gesichtchen —, »nicht wie ein richtiger Junge; und dann, als ich im Spielzimmer war, habe ich ihn wieder gesehen. Er stand in der

Tür und sah mir zu, wie ich mit den Bauklötzen spielte, dabei sah er so schrecklich allein aus und so, als ob er mit mir spielen wollte. Ich habe gesagt: ›Komm und bau eine Lokomotive.‹ Aber er sagte nichts, er schaute nur so. Weißt du, Mammi — als ob er ganz viel Schokolade sähe, aber seine Mammi ihm verboten hätte, davon zu nehmen.«

Geoffrey seufzte tief, traurige persönliche Erinnerungen aus seinem Kinderleben erfüllten ihn.

»Und dann hab' ich Jane gefragt, wer das wäre, und ich habe ihr gesagt, daß ich mit ihm spielen möchte. Da hat sie geantwortet, es sei gar kein kleiner Junge im Haus, und ich solle kein dummes Zeug reden . . . Ich mag Jane nicht.«

Mrs. Lancaster stand auf.

»Jane hat aber recht. Es gibt hier keinen kleinen Jungen.«

»Aber ich habe ihn doch gesehen. O Mammi, laß mich doch mit ihm spielen, er sah so schrecklich allein aus und so unglücklich. Ich will, daß er sich wohler fühlt.«

Gerade wollte Mrs. Lancaster wieder etwas sagen, als ihr Vater den Kopf schüttelte.

»Geoff«, sagte er sanft. »Dieser arme kleine Junge *ist* allein. Vielleicht kannst du etwas tun, damit er sich wohler fühlt; aber wie, das kannst nur du selber herausfinden — wie in einem Puzzlespiel, verstehst du?«

»Du meinst, weil ich jetzt schon so groß bin, kann ich das ganz allein?«

»Ja, weil du jetzt schon so groß bist.«

Als der Junge aus dem Zimmer gegangen war, wandte sich Mrs. Lancaster ungeduldig ihrem Vater zu.

»Papa, das ist doch wirklich absurd. Du bestätigst dem Jungen das, was er von den Dienstmädchen hört?«

»Kein Dienstmädchen hat dem Kind etwas erzählt«, sagte der alte Mann freundlich. »Er hat nur gesehen, was ich nur *gehört* habe — was ich vielleicht selber gesehen hätte, wenn ich noch in seinem Alter wäre.«

»Aber das ist doch ein kompletter Unfug! Warum höre oder sehe ich denn nichts?«

Mr. Winburn lächelte, ein merkwürdiges müdes Lächeln, aber er antwortete nichts.

»Warum?« wiederholte seine Tochter. »Und warum hast du ihm auch noch gesagt, er könnte diesem — diesem Gespenst helfen? Das ist doch — das ist doch unmöglich.«

Der alte Mann sah sie freundlich und nachdenklich an.
»Warum nicht?« sagte er. »Hast du das kleine Gedicht
vergessen?

> ›Welche Lampe hat die Bestimmung, ihre kleinen
> Kinder, die im Dunkeln irren, zu führen?
> Ein sechster Sinn, antwortete der Himmel.‹

Geoffrey hat ihn — den ›sechsten Sinn‹. Alle Kinder
haben ihn. Wenn wir erwachsen werden, verlieren wir
ihn, das heißt, wir werfen ihn fort. Wenn wir dann wieder
ganz alt werden, kommt manchmal ein schwacher Abglanz
davon zurück. Aber diese Lampe leuchtet in der Kindheit am
hellsten.«

»Ich verstehe kein Wort«, murmelte Mrs. Lancaster schwach.
»Alles verstehe ich auch nicht. Nur eines habe ich verstanden, daß hier ein Kind tiefen Kummer hat und sich nur eines
wünscht — davon befreit zu werden. Aber wie? Ich weiß es
nicht, aber es ist schrecklich, es zu wissen. Das Kind schluchzt
sich das Herz aus dem Leibe —«

Einen Monat nach dieser Unterhaltung wurde Geoffrey krank.
Der Ostwind war kalt gewesen, und Geoff war kein sehr
widerstandsfähiges Kind. Der Arzt schüttelte den Kopf und
sagte, es sei ein ernster Fall. Mr. Winburn vertraute er etwas
mehr an und bekannte, daß es ziemlich hoffnungslos wäre.

»Auf jeden Fall würde das Kind unter gar keinen Umständen so lange leben können, bis es erwachsen wäre«,
fügte er hinzu. »Es hat schon lange einen schweren Lungen-
schaden.«

Als Mrs. Lancaster Geoff pflegte, bemerkte auch sie etwas
— von dem anderen Kind. Zuerst waren die Schluchzer ein
kaum zu unterscheidender Teil des Windbrausens, aber allmählich wurden sie immer deutlicher, unmißverständlicher.
Schließlich hörte sie sie auch in Momenten völliger Stille:
das Schluchzen eines Kindes — trostlos, hoffnungslos, mit
gebrochenem Herzen.

Geoffs Gesundheitszustand wurde zusehends schlechter,
und in seinem Delirium sprach er wieder und wieder von dem
kleinen Jungen.

»Ich will ihm helfen, hier wegzukommen, ich will!« schrie
er.

Auf das Delirium folgte ein Zustand der Lethargie. Geoffrey lag ganz still, er atmete kaum, ganz in Abwesenheit versunken. Da konnte man nichts mehr tun, nur warten und wachen. Dann eine ruhige Nacht, still und klar, ohne einen einzigen Windhauch.

Plötzlich bewegte sich das Kind. Es öffnete die Augen. Es sah an seiner Mutter vorbei zur offenen Tür. Es versuchte zu sprechen, und sie beugte sich zu ihm herab, um die leise gehauchten Worte zu hören.

»Es ist gut, ich komme«, flüsterte es, dann sank es zurück.

Die Mutter empfand plötzlich lähmendes Entsetzen, sie rannte durch das Zimmer zu ihrem Vater. Irgendwo in der Nähe lachte das andere Kind. Fröhlich, zufrieden, triumphierend — ein silberhelles Lachen echote durch den Raum.

»Ich habe Angst. Ich habe solche Angst«, stöhnte sie.

Er legte schützend den Arm um ihre Schultern. Ein plötzlicher Windstoß ließ beide auffahren, aber er legte sich rasch wieder, und die Luft war wieder ruhig wie zuvor.

Das Lachen hatte aufgehört, als ein leises Geräusch entstand, so schwach, daß man es zuerst kaum hören konnte, doch es wurde lauter und lauter, bis sie es ganz deutlich erkennen konnten. Schritte — leichte Schritte, die schnell näher kamen . . .

Tripp-trapp, tripp-trapp . . . Sie begannen zu rennen, diese wohlbekannten, leichten kleinen Füßchen. Da — jetzt kamen deutlich andere Fußtritte dazu, vermischten sich mit den ersteren, und beide näherten sich mit noch leichteren, noch schnelleren Schritten.

Im Einklang hasteten sie zur Tür.

Dann weiter . . . tripp-trapp . . . durch die Tür, an ihnen vorbei . . . tripp-trapp . . . unsichtbar gingen die Füße der beiden Kinder im gleichen Takt.

Mrs. Lancaster blickte verzweifelt auf.

»Jetzt sind es *zwei*, Vater — zwei!«

Bleich vor Angst wollte sie zu Geoffreys Bett zurück, doch ihr Vater hielt sie sanft zurück und deutete auf die geöffnete Tür.

»Da«, sagte er tonlos.

Tripp-trapp, tripp-trapp . . . schwächer und schwächer wurden die Schritte.

Und dann — Stille.

1

Silas Hamer bekam es zum erstenmal an einem winterlichen Abend im Februar zu hören. Er und Dick Borrow waren nach einem Essen, das Bernard Seldon, der Nervenspezialist, gegeben hatte, nach Hause spaziert. Borrow war ungewöhnlich schweigsam gewesen, und Silas Hamer hatte ihn mit einiger Neugier gefragt, worüber er denn nachdächte. Borrows Antwort war anders, als erwartet.

»Ich dachte gerade, daß von all diesen Männern heute abend nur zwei von sich behaupten können, glücklich zu sein. Und diese beiden, komisch genug, sind du und ich!«

Das Wort »komisch« war angemessen, denn zwei Männer konnten gar nicht unterschiedlicher sein als Richard Borrow, der vielbeschäftigte Pfarrer vom Ostende der Stadt, und Silas Hamer, der aalglatte, selbstgefällige Mann, der seine Millionen mit seiner Kenntnis von Haushaltswaren erworben hatte.

»Es ist merkwürdig, weißt du«, Borrow dachte laut, »ich glaube, du bist der einzige zufriedene Millionär, den ich je getroffen habe.«

Hamer schwieg einen Moment lang. Als er wieder zu sprechen begann, klang seine Stimme verändert.

»Ich war ein armseliger, vor Kälte schlotternder kleiner Zeitungsjunge. Damals wollte ich — jetzt habe ich es erreicht — Geld für Komfort und Luxus, nicht seine Macht. Nicht, um damit zu herrschen, sondern um es verschwenderisch auszugeben — für mich selbst. Ich bin ehrlich, was das betrifft, siehst du. Mit Geld kann man alles kaufen, sagt man. Das stimmt. Und weil ich mir alles das kaufen kann, was ich mir wünsche, deshalb bin ich zufrieden. Ich bin Materialist, Borrow, ein Materialist durch und durch.«

Das grelle, blendende Licht der erleuchteten Hauptverkehrsstraße bestätigte sein Glaubensbekenntnis. Die gedrungene Gestalt Silas Hamers wirkte in dem schweren, pelzgefütterten Mantel noch breiter, und das weiße Licht unterstrich die dicken Fleischrollen unterhalb seines Kinns. Im Gegensatz dazu spazierte neben ihm Dick Borrow mit schmalem asketischem Gesicht und den glühenden Augen eines Fanatikers.

»Du bist es«, ergänzte Hamer mit Nachdruck, »den ich nicht verstehen kann.«

Borrow lächelte.

»Ich lebe mitten im Elend, in Armut und Hunger — in allen Krankheiten des Fleisches. Nur eine Vision beherrscht mich und hält mich aufrecht. Es ist nicht leicht, dies zu verstehen — und ich nehme nicht an, daß du an Visionen glaubst. Dies ist aber meine Art von Glück.«

»Nein, daran glaube ich nicht«, sagte Silas Hamer überzeugt. »Ich glaube nur an das, was ich sehen und hören und berühren kann.«

»Ganz recht. Darin besteht der Unterschied zwischen uns. Nun denn, auf Wiedersehen, jetzt verschlingt mich die Erde.«

Sie hatten den Eingang zu der erleuchteten U-Bahn-Station, von der aus Borrow nach Hause fuhr, erreicht.

Hamer ging allein weiter. Er war froh über seinen Entschluß, den Wagen heute abend fortgeschickt zu haben; so konnte er zu Fuß nach Hause gehen. Die Luft war scharf und frostig, seine Sinne nahmen voller Wohlbehagen die umhüllende Wärme seines pelzgefütterten Mantels wahr.

Er blieb einen Augenblick auf dem Bürgersteig stehen, bevor er die Straße überquerte. Ein mächtiger Autobus bahnte sich den Weg auf ihn zu. Hamer empfand das Gefühl unendlicher Muße und wartete, daß er vorbeifuhr. Wenn er noch vor ihm hinübergehen wollte, müßte er sich beeilen — und Eile war ihm verhaßt.

Eine volltrunkene menschliche Gestalt schwankte an ihm vorbei auf die Fahrbahn. Hamer sah noch, wie der Autobus vergeblich auswich, dann hörte er einen gräßlichen Schrei, und sein Blick blieb fassungslos — sein Entsetzen wuchs progressiv — auf einem formlosen, schlaffen Lumpenhaufen mitten auf der Straße haften.

Eine Menschenmenge sammelte sich wie von einem Magneten angezogen. Ein Polizist und der Fahrer des Busses bildeten den Mittelpunkt des Gedränges. Aber Hamers Blicke zog die Suggestivkraft des Grauens auf das leblose Bündel, das einmal ein Mensch gewesen war — ein Mensch wie er selbst. Hamer schauderte, als sei er selbst bedroht.

»Machen Sie sich keine Vorwürfe, Mann«, bemerkte ein primitiv aussehender Mann an seiner Seite. »Sie hätten es doch nicht verhindern können. Der war eben fällig.«

Hamer starrte den Mann an. Der Gedanke, daß es vielleicht im Bereich seiner Möglichkeit gelegen hatte, den Mann zurückzureißen, war ihm — wenn er ehrlich war — noch gar nicht gekommen. Verächtlich wies er diese absurde Mutmaßung von sich. Wenn er selbst so töricht gewesen wäre, würde er jetzt ... Hamers Gedanken brachen abrupt ab und er ging von der Menge fort. Er fühlte, wie er innerlich fror, zitterte vor einer namenlosen, unauslöschlichen Angst. Er war gezwungen, sich selbst zuzugeben, daß er auf einmal Angst, entsetzliche Angst vor dem Tod hatte — vor jenem Tod, der mit gräßlicher Schnelligkeit und gewissenloser Gewißheit zu Armen und Reichen gleichermaßen kam ...

Hamer ging schneller, doch die neue Angst blieb in ihm, sie hatte ihn in ihrem kalten und schaurigen Griff.

Er wunderte sich über sich selbst, denn er wußte, daß er von Natur aus kein Feigling war. Vor fünf Jahren, überlegte er, hätte ihn diese Angst noch nicht anfallen können. Damals war das Leben noch nicht so süß gewesen ... Ja, das war es! Die Liebe zum Leben war der Schlüssel des Geheimnisses. Der Lebensgenuß hatte für ihn seinen Höhepunkt erreicht; er sah nur *eine* Bedrohung: den Tod, den Zerstörer!

Hamer bog aus der Hauptverkehrsstraße in eine schmale Seitengasse ab, die von hohen Mauern eingefaßt war. Sie bot eine Abkürzung zu dem Platz, an dem sein Haus lag, das für seine Kunstschätze bekannt war.

Die Geräusche der Straßen wurden hinter Hamer immer schwächer und erstarben ganz; nur das weiche Auftreten seiner Schuhe war noch zu hören. Und dann kam aus dem Dunkel vor ihm ein anderer Ton.

Ein Mann saß gegen die Mauer gelehnt und spielte Flöte. Sicherlich einer der vielen Straßenmusikanten; warum hatte er sich diesen einsamen Ort ausgesucht? Wahrscheinlich fürchtete er zu dieser Nachtzeit die Polizei ... Hamers Überlegungen wurden unterbrochen, als er mit Schrecken bemerkte, daß der Mann keine Beine mehr hatte. Ein Paar Krücken lehnten an der Mauer neben ihm. Hamer sah jetzt auch, daß es keine Flöte war, die er blies, sondern ein fremdartiges Instrument, dessen Töne höher und klarer waren als die einer Flöte.

Der Mann spielte weiter. Er bemerkte Hamers Herannahen nicht. Der Musikant hatte den Kopf weit zurückgeworfen, das

Gesicht war dem Himmel zugewandt, als ob er sich an seiner eigenen Musik erfreute; die Töne entflogen seinem Instrument klar und fröhlich, stiegen höher und höher ...

Es war eine eigenartige Melodie — besser ein Gespräch, es war überhaupt keine Melodie, ein einfacher Satz, der langsamen Weise des Violinparts aus »Rienzi« nicht unähnlich. Sie wurde wieder und wieder gespielt, lief von Schlüssel zu Schlüssel, von Harmonie zu Harmonie, immer steigend, und erreichte bei jedem Mal eine größere und grenzenlosere Freiheit.

Hamer hatte nie etwas ähnlich Schönes gehört. Es war eine besondere Eigenart darin, etwas Inspirierendes — etwas, das nach oben strebte ... Hamer hielt sich krampfhaft mit beiden Händen an einem Vorsprung der Mauer neben sich fest. Er war sich nur einer Sache bewußt — er mußte sich festhalten, koste es, was es wolle: Er mußte sich festhalten ...

Plötzlich wurde er gewahr, daß die Musik aufgehört hatte. Der Mann ohne Beine griff nach seinen Krücken. Da stand er, Silas Hamer, und krallte sich noch immer wie ein Mondwandler an einem Steinvorsprung fest, allein aus dem einfachen Grund, weil er die widersinnige Empfindung hatte — lächerlich, wenn man darüber nachdachte —, als erhebe er sich vom Boden, als trüge ihn die Musik nach oben ...

Er lachte. Was für eine idiotische Vorstellung! Natürlich hatten seine Füße keinen Moment lang den Boden verlassen, welch merkwürdige Halluzinationen. Das rasche Aufschlagen von Holzstangen auf dem Bürgersteig sagte ihm, daß der Krüppel davonhumpelte. Hamer sah ihm nach, bis die Gestalt des Mannes von der Dunkelheit verschuckt war. Komischer Kauz!

Langsam setzte Hamer seinen Weg fort; doch er konnte die Gedanken an dieses merkwürdige Gefühl, den Boden unter den Füßen zu verlieren, nicht loswerden.

Und dann, einem plötzlichen Impuls folgend, machte er kehrt und folgte eilig dem Mann, der in die andere Richtung gegangen war. Der Mann konnte noch nicht weit sein — Hamer würde ihn bald eingeholt haben.

Er rief, sobald er der verstümmelten Gestalt ansichtig geworden war, indem er langsamer weiterging: »Hallo, Moment mal!«

Der Mann hielt inne, bewegungslos, bis er eingeholt war.

Eine Straßenlaterne brannte genau über seinem Kopf und erleuchtete jeden seiner Gesichtszüge. Silas Hamer hielt unwillkürlich den Atem an, so überrascht war er. Der Mann besaß einen einmalig schönen Kopf — den schönsten, den Hamer je gesehen hatte. Sein Alter war nicht zu bestimmen; sicherlich war er kein junger Mann mehr, und doch waren die vorherrschenden Ausdruckszüge Jugend und Kraft in leidenschaftlicher Intensität.

Hamer fand es sonderbar schwierig, eine Unterhaltung zu beginnen.

»Schauen Sie«, sagte er linkisch, »ich möchte gern wissen, was Sie da gerade gespielt haben.«

Der Mann lächelte . . . Mit seinem Lächeln schien plötzlich die Welt in lauter Fröhlichkeit getaucht.

»Es war ein altes Lied, ein sehr altes Lied — Jahre alt . . . Jahrhunderte alt.«

Er sprach mit eigentümlicher Reinheit und Deutlichkeit der Formulierung, wobei er jede Silbe gleichermaßen als kostbar betonte. Er war offensichtlich kein Engländer. Hamer konnte seine Nationalität nicht erraten.

»Sie sind kein Engländer, nicht wahr? Woher kommen Sie?«

Wieder das breite, fröhliche Lächeln.

»Ich bin über das Meer gekommen, Sir — vor langer Zeit — sehr langer Zeit.«

»Sie müssen einen bösen Unfall gehabt haben. War das vor kurzem?«

»Es ist schon einige Zeit her, Sir.«

»Ein schlimmes Unglück, beide Beine zu verlieren.«

»Es war gut so«, sagte der Mann ruhig. Er wandte seine Augen in feierlichem Ernst seinem Befrager zu. »Sie waren böse.«

Hamer gab ihm einen Shilling in seine Hand und ging fort. Er war verwirrt und wußte mit der Antwort nichts anzufangen. Wie komisch, so zu sprechen. Wahrscheinlich eine Amputation wegen einer Krankheit, aber — wie sonderbar das geklungen hatte: »Sie waren böse.«

Hamer ging gedankenverloren nach Hause. Er versuchte vergeblich, den Vorfall zu vergessen. Als er im Bett lag und sich die ersten Anzeichen von Schläfrigkeit bemerkbar machten, hörte er die Turmglocke in der Nachbarschaft eins schlagen. Ein klarer Schlag, dann Ruhe, die durch einen schwachen, bekannten Ton unterbrochen wurde ... Langsam kroch die Erinnerung in sein Bewußtsein. Hamer spürte, wie sein Herz schneller schlug. Es war der Mann aus der Seitenstraße, irgendwo spielte er wieder — nicht weit entfernt.

Die Töne kamen fröhlich, die langsame Wendung mit ihrem lustigen Ruf, derselbe jagende kleine Satz ...

»Es ist unheimlich«, murmelte Hamer, »es ist unheimlich. Es hat Flügel ...«

Klarer und klarer, höher und höher, jeder Ton erhob sich über den vorhergehenden, Hamer war ergriffen. Diesmal wehrte er sich nicht, er gab sich dem hin ... hoch ... hinauf ... Die Wellen der Töne schwangen höher und höher ... Triumphierend und frei stiegen sie gen Himmel.

Höher und höher ... Sie hatten die Grenze irdischer Töne überstiegen, doch sie setzten sich fort — aufsteigend, immer noch aufsteigend ... Würden sie ihr höchstes Ziel erreichen, die vollkommene Erlösung?

Dann zog ihn etwas herunter, etwas Großes, Schweres und Sichfestklammerndes. Es zog ihn rücksichtslos wieder zur Erde herunter ...

Hamer lag im Bett und schaute zum Fenster. Während er schwer und schmerzlich atmete, streckte er seinen Arm aus dem Bett heraus. Diese Bewegung kam ihm merkwürdig schwierig vor. Die Weichheit des Bettes war bedrückend, bedrückend auch die schweren Vorhänge vor dem Fenster, die die Luft aussperrten. Die Zimmerdecke schien auf ihn herabzustürzen. Er fühlte sich beengt und unfrei. Er rührte sich leicht unter der Bettdecke, und das Gewicht seines eigenen Körpers erschien ihm als das Erdrückendste von allem ...

2

»Ich möchte Ihren Rat hören, Seldon.«

Seldon stieß seinen Stuhl ein paar Zentimeter vom Tisch ab. Er hatte sich schon insgeheim nach dem Grund dieses Essens zu zweit gefragt. Er hatte Hamer seit dem vergangenen Winter kaum mehr gesehen, und heute abend bemerkte er eine undefinierbare Veränderung an seinem Freund.

»Wissen Sie, es ist ganz einfach das«, sagte der Millionär, »ich mache mir Sorgen um mich selbst.«

Seldon lächelte, als er ihn über den Tisch hinweg ansah. »Sie sehen aus, als ob Sie Bäume ausreißen möchten.«

»Das ist es nicht«, Hamer hielt einen Moment lang inne, dann fügte er ruhig hinzu: »Ich fürchte, ich werde wahnsinnig.«

Der Nervenspezialist blickte plötzlich mit unverhohlenem Interesse auf. Er goß sich langsam ein Glas Portwein ein, bevor er ruhig fragte, indem er den anderen scharf ansah: »Wie kommen Sie darauf?«

»Auf Grund eines Erlebnisses — auf Grund von etwas Unerklärlichem, Unglaublichem. Es kann nicht wahr sein, daher bleibt nur die Möglichkeit: ich muß offenbar wahnsinnig werden.«

»Lassen Sie sich Zeit«, sagte Seldon, »erzählen Sie mir erst mal von dem Erlebnis.«

»Ich glaube nicht an das Übernatürliche«, begann Hamer. »Ich habe nie daran geglaubt. Aber das ... Nun, es ist am besten, wenn ich Ihnen die ganze Geschichte von Anfang an erzähle. Es begann im vergangenen Winter, genau an dem Abend, als ich bei Ihnen zu Abend gegessen hatte.«

Dann erzählte er kurz und genau die Erlebnisse während seines Heimwegs und die merkwürdige Wirkung, die sie auf ihn gehabt hatten.

»So fing alles an. Ich kann es nicht genau beschreiben — dieses Gefühl, ich meine aber, es war wundervoll! So ganz anders als alles, was ich bisher gefühlt und geträumt habe. Seitdem ist es so weitergegangen. Nicht jede Nacht, nur hin und wieder. Die Musik — das Gefühl, emporgetragen zu werden; dieser aufsteigende Flug und dann der schreckliche Zug nach unten, das Heruntergezogenwerden zur Erde zurück, anschließend die Schmerzen, die echten körperlichen Schmerzen des Erwachens. Es ist so, als ob man von einem hohen Berg herabkäme. Sie kennen doch den beklemmenden Druck in den Ohren, nicht? Ja, das ist genau dasselbe, nur schlimmer — dazu ein bedrückendes Empfinden der eigenen Schwere, als wäre man gefangen, als würde man gewürgt ...«

Hamer unterbrach sich, es entstand eine Pause.

»Meine Dienstboten denken, ich bin verrückt geworden. Ich konnte das Dach und die Wände nicht mehr ertragen — ich ließ mir einen Platz auf dem Dach, oben auf dem Haus, herrichten; direkt unter freiem Himmel, ohne jedes Möbelstück, da wurden die Häuser um mich herum zum gleichen Alpdruck. Das offene Land ist es, was ich mir wünsche, wo man atmen kann . . .« Er sah Seldon an. »Nun, was sagen Sie dazu? Können Sie mir das erklären?«

»Hm«, machte Seldon. »Ein ganzer Haufen von Erklärungen. Sie sind hypnotisiert worden, aber Sie haben sich selbst hypnotisiert. Ihre Nerven funktionieren nicht mehr richtig. Es kann auch ganz einfach nur ein Traum sein.«

Hamer schüttelte den Kopf. »Keine von diesen Erklärungen paßt.«

»Dann gibt es noch andere«, sagte Seldon langsam, »aber die sind nicht allgemein anerkannt.«

»Würden *Sie* sie anerkennen?«

»Im großen und ganzen, ja! Es gibt viel, was wir nicht verstehen und was wir unmöglich auf normale Weise erklären können. Unsere Wissenschaft ist noch nicht soweit, aber sie kann täglich etwas herausfinden. Aber bis es soweit ist, bin ich der Ansicht, man sollte sich nicht aus Voreingenommenheit dem verschließen.«

»Was raten Sie mir?« fragte Hamer nach einer Pause des Schweigens.

Seldon beugte sich lebhaft vor. »Eine von mehreren Möglichkeiten: Verlassen Sie London, suchen Sie Ihr offenes Land auf. Vielleicht hören die Träume dort auf.«

»Das kann ich nicht«, sagte Hamer schnell. »Es ist so weit gekommen, daß ich ohne sie nicht mehr leben kann. Ich will ohne sie nicht mehr leben!«

»Aha. Ich hatte so etwas schon geahnt. Eine andere Möglichkeit: Finden Sie diesen Burschen, diesen Krüppel. Sie haben ihm bis jetzt alle möglichen übernatürlichen Attribute zugesprochen. Reden Sie mit ihm. Brechen Sie den Zauber!«

Wieder schüttelte Hamer den Kopf.

»Warum denn nicht?«

»Ich habe Angst«, sagte Hamer einfach.

Seldon machte eine ungeduldige Handbewegung.

»Glauben Sie nicht blind daran. Diese Melodie, das Lied, womit all das anfängt, wie ist sie?«

Hamer summte sie vor sich hin, und Seldon hörte mit verwundertem Stirnrunzeln zu.

»Fast wie aus der Ouvertüre von ›Rienzi‹. Darin ist etwas Emporsteigendes — es hat wirklich Flügel. Aber ich werde dabei nicht von der Erde hochgehoben. Übrigens — diese Flüge, die Sie erleben — sind sie immer gleich?«

»Nein, nein«, Hamer beugte sich eifrig vor. »Sie entwickeln sich. Jedesmal sehe ich etwas mehr. Es ist schwierig, das zu erklären. Sehen Sie, ich bin mir immer bewußt, einen gewissen Punkt zu erreichen — die Musik trägt mich dahin, nicht direkt, aber durch eine Folge von Wellen, von denen eine immer höher ist als die vorhergehende, bis zum höchsten Punkt, über den hinaus es nicht mehr weitergeht. Da bleibe ich, bis ich heruntergezogen werde. Es ist nicht eigentlich ein Ort, eher ein Zustand ... Nicht sofort, erst etwas später verstand ich, daß es da um mich herum noch andere Dinge gab, die nur darauf warteten, von mir aufgenommen zu werden, wenn ich erst dazu fähig war. Denken Sie an eine junge Katze. Sie hat Augen, kann aber zuerst nichts sehen. Sie ist blind und muß erst lernen, zu sehen. Genauso war es auch bei mir. Die Augen und Ohren der Sterblichen waren für mich nicht die richtigen, doch es gab etwas Entsprechendes dafür, das noch nicht entwickelt war — etwas, das überhaupt nicht körperlich ist. Ganz langsam, Schritt für Schritt, wuchs es ... Da gab es Gefühle des Lichts ... von Klängen ... dann von Farbe ... alles vage und nicht formulierbar. Es war mehr das Wissen um die Dinge als ihre Wahrnehmung durch Sehen oder Hören. Zuerst war es Licht, das stärker und klarer wurde — später Sand, große Strecken von rötlichem Sand ... und hier und da gerade lange Linien von Wasser wie Kanäle —«

Seldon holte tief Atem. »Kanäle? Das ist interessant. Erzählen Sie weiter.«

»Alle diese Dinge waren unwichtig — sie zählten nicht lange. Die wirklichen Dinge waren jene, die ich nicht sehen, aber hören konnte ... Es war ein Geräusch wie das Rauschen von Flügeln — irgendwie war es prachtvoll! Hier gibt es nichts Ähnliches. Dann kam eine andere Pracht — ich sah sie: die Flügel! Oh, Seldon, diese Flügel!«

»Was sind das für Flügel? Menschen-, Engels- oder Vogelflügel?«

»Ich weiß es nicht. Das konnte ich noch nicht sehen — nur die Farbe von ihnen: Flügelfarbe. Hier gibt es so etwas nicht. Es ist eine wundervolle Farbe.«

»Flügelfarbe?« wiederholte Seldon. »Wie sieht sie aus?«

Hamer spreizte ungeduldig die Hände. »Wie soll ich sie

Ihnen erklären? Erklären Sie die Farbe Blau einmal einem Blinden. Es ist eine Farbe, die Sie noch nie gesehen haben — Flügelfarbe!«

»Aha.«

»Das ist alles. Bis dahin bin ich jetzt gekommen. Und jedesmal wurde das Zurückkommen schlimmer — schmerzlicher. Ich kann es nicht verstehen. Ich bin überzeugt davon, daß mein Körper das Bett niemals verläßt. An dem Punkt, den ich erreiche, bin ich überzeugt, gar keine körperliche Gegenwart mehr zu haben. Warum tut es dann aber so verflucht weh?«

Seldon schüttelte schweigend den Kopf.

»Es ist etwas Entsetzliches — dieses Zurückkommen. Der Zug nach unten — dann der Schmerz in jedem Glied und jedem Nerv; meine Ohren fühlen sich an, als wollten sie platzen. Dann drückt das Gewicht von allem, sowie das grauenhafte Gefühl, eingekerkert zu sein. Ich brauche Licht, Luft, Raum — vor allem Raum, um atmen zu können. Und ich will Freiheit!«

»Was ist mit den Dingen, die Ihnen soviel bedeutet haben?« fragte Seldon.

»Das ist ja das Schlimme. Daran liegt mir noch ebensoviel wie vorher, wenn nicht noch mehr. Diese Dinge, wie Komfort, Luxus, Vergnügen, scheinen der entgegengesetzte Pol zu den Flügeln zu sein. Es ist ein ewiger Kampf zwischen ihnen. Ich weiß nicht, wie dieser Kampf ausgehen wird.«

Seldon saß schweigend da. Die merkwürdige Erzählung, der er zugehört hatte, war wirklich phantastisch. War das alles Selbsttäuschung, wilde Halluzination — oder gab es die Möglichkeit, daß sie wahr war? Und wenn es die Wahrheit war, warum ausgerechnet bei Hamer? Ausgerechnet bei diesem Materialisten, bei dem Mann, der das Fleisch liebte und den Geist leugnete. Von diesem Mann hätte man annehmen können, er sei der letzte, dem die Gesichte einer anderen Welt zuteil würden.

Über den Tisch hinweg beobachtete ihn Hamer ängstlich.

»Ich nehme an, daß Sie nur abwarten können. Warten und sehen, was weiter geschieht«, sagte Seldon langsam.

»Ich kann nicht! Ich sagte doch, ich kann nicht! Aus Ihren Worten geht hervor, daß Sie das alles nicht verstanden haben. Ich werde in zwei Teile zerrissen. Dieser fürchterliche Kampf, dieser tötende, immerwährende Kampf zwischen — zwischen ...« Hamer zögerte.

»— dem Fleischlichen und dem Geist?« folgerte Seldon.

Hamer starrte dumpf vor sich hin. »Vielleicht kann man es so nennen. Jedenfalls ist es unerträglich ... Ich kann nicht frei werden ...«

Bernard Seldon schüttelte wieder den Kopf. Dieses Unerklärliche hielt ihn gefangen. Er machte einen weiteren Vorschlag.

»Wenn ich an Ihrer Stelle wäre«, riet er, »würde ich mir den Krüppel schnappen.«

Doch als er später heimging, flüsterte er vor sich hin: »Kanäle ... Ich möchte bloß wissen ...?«

3

Silas Hamer verließ das Haus am nächsten Morgen mit einer neuen Entschlossenheit im Schritt. Er hatte den Entschluß gefaßt, Seldons Rat zu befolgen und den Mann ohne Beine zu finden. Insgeheim war er bei sich überzeugt, daß er umsonst suchen und daß der Mann ebenso vollständig verschwunden sein würde, als hätte ihn die Erde verschluckt.

Die Gebäude zu beiden Seiten der Nebenstraße traf noch kein Sonnenlicht. Sie lagen dunkel und geheimnisvoll da. Nur an einer Stelle, in der Mitte der Nebenstraße, war die Mauer durchbrochen, und dort fiel ein Strahl von goldenem Licht auf eine Gestalt, die auf der Erde saß. Das war der Mann!

Das Flöteninstrument lehnte an der Wand neben seinen Krücken, und er bemalte die Platten des Fußweges mit bunter Kreide. Zwei seiner Zeichnungen waren fertig: Waldszenen von wunderbarer Schönheit und Feinheit, sich wiegende Bäume und ein sich schlängelnder Bach, der zu fließen schien.

Wieder kamen Hamer Zweifel. War dieser Mann nur ein Straßenmusikant, ein Lebenskünstler? War er mehr?

Da verlor der Millionär plötzlich seine Beherrschung, und er schrie wild und wütend: »Wer bist du? In Gottes Namen, wer bist du?«

Die Augen des Mannes trafen die seinen, lächelnd.

»Warum antworten Sie nicht? Sprechen Sie, Mann, sprechen Sie!«

Da sah Hamer, daß der Mann mit unglaublicher Schnelligkeit mit der Kreide über eine leere Steinplatte fuhr. Hamer folgte seiner Bewegung mit den Augen. Ein paar gewagte Striche, riesige Bäume nahmen Formen an. Auf einem Felsblock sitzend — ein Mann, der ein flötenähnliches Instrument blies, der ein merkwürdig schönes Gesicht hatte — und Ziegenbeine!

Der Krüppel hatte eine schnelle Bewegung gemacht. Der Mann saß noch immer auf dem Felsen, aber die Ziegenbeine waren verschwunden. Wieder trafen seine Augen die von Hamer.

»Sie waren böse«, sagte er.

Hamer starrte ihn an, fasziniert. Das Gesicht vor ihm war das Gesicht auf dem Bild, doch auf unglaubliche Art verschönt — von allem gereinigt, bis auf eine intensive und köstliche Lebensfreude.

Hamer wandte sich ab und floh die Seitenstraße hinunter ins helle Sonnenlicht. Immer wieder sagte er vor sich hin: »Es ist unmöglich. Ich bin wahnsinnig, ich träume!« Aber das Gesicht jagte ihn — das Gesicht des Pan . . .

Hamer ging in den Park und setzte sich auf einen Stuhl. Es war eine ruhige Stunde. Ein paar Kindermädchen saßen mit den ihnen anvertrauten Sprößlingen im Schatten der Bäume, hier und da lagen im Grün verstreut wie kleine Inseln im Meer die klobigen Formen menschlicher Wesen . . .

Die Worte »zerlumpter Vagabund« waren für Hamer gleichbedeutend mit Elend gewesen. Jetzt plötzlich beneidete er sie.

Sie erschienen ihm von allen Geschöpfen die wirklich freien. Die Erde unter ihnen, der Himmel über ihnen, die Welt, sie zu durchwandern — sie waren durch nichts eingekerkert, lagen in keinen Ketten.

Wie ein Blitz durchfuhr es ihn, daß das, was ihn so schmerzlich fesselte, das war, wofür er gearbeitet und das er über alles gesetzt hatte: Wohlstand, Reichtum! Er hatte es für das Stärkste auf Erden gehalten, und jetzt, da er in seinem eigenen goldenen Käfig saß, entdeckte er die Bedeutung jener Worte. Es war sein Geld, das ihn fesselte, gefangenhielt.

Aber war es wirklich nur das? Gab es eine noch tiefere und klarere Wahrheit, die er bislang nicht gesehen hatte? War es das Geld, oder war es seine eigene Liebe zum Geld? Er war gefesselt von Ketten, die er sich selbst geschmiedet hatte — nicht der Reichtum selbst, sondern seine Liebe zum Reichtum war seine Kette.

Plötzlich erkannte er deutlich die zwei Kräfte, die an ihm zogen: die schwere Macht des Materialismus, die ihn einschloß und umgab, und der klare, befehlende Ruf — den er selbst als den Ruf der Flügel bezeichnet hatte.

Während die eine Kraft kämpfte und sich an ihn klammerte, verachtete die andere den Kampf und beugte sich keinem Krieg. Sie rief ihn nur — unaufhörlich... Er hörte es so deutlich, daß er jedes ihrer Worte vernahm.

»Du kannst mit mir nicht handeln«, schien sie zu sagen, »denn ich stehe über allen Dingen. Wenn du meinem Ruf folgen willst, mußt du alles andere aufgeben und die Kraft abschneiden, die dich festhält. Nur der Freie kann mir folgen...«

»Ich kann nicht«, schrie Hamer. »Ich will nicht!«

Ein paar Leute wandten den Kopf nach dem großen dicken Mann, der mit sich selbst redete.

Man verlangte von ihm Verzicht auf das, was ihm am liebsten war, das ein Teil seiner selbst war. Hamer dachte an den Mann ohne Beine...

4

»Was, um Himmels willen, führt dich zu mir?« fragte Borrow.

Tatsächlich war das ärmliche Ostende der Stadt ein ungewöhnlicher Hintergrund für Hamer.

»Ich habe schon eine ganze Menge Predigten gehört«, sagte der Millionär, »in denen aufgezählt wurde, was alles getan werden könnte, wenn Leute wie du die Geldmittel dazu hätten. Ich bin heute zu dir gekommen, um dir zu sagen: Du kannst diese Geldmittel haben.«

»Sehr nobel von dir«, antwortete Borrow, einigermaßen verwundert. »Eine größere Unterstützung?«

Hamer lächelte trocken. »Das kann man wohl sagen... Bis auf den letzten Penny das, was ich habe.«

»Wie bitte?«

Hamer erklärte die Einzelheiten in seiner kurzen, geschäftlichen Art. In Borrows Kopf begann es sich wild zu drehen.

»Du meinst also — du meinst wirklich, daß du dein gesamtes Vermögen den Armen dieses Stadtviertels zukommen lassen und mich als deinen Verwalter einsetzen willst?«

»Genau das.«

»Aber warum denn?«

»Das kann ich dir nicht erklären«, sagte Hamer langsam. »Erinnerst du dich noch an unser letztes Gespräch über Visionen im vergangenen Februar? Also gut — eine solche Vision hat mich in Besitz genommen.«

»Das ist großartig!«

Borrow beugte sich vor, seine Augen leuchteten.

»Ach, so großartig ist das nun auch wieder nicht«, erwiderte Hamer unwirsch. »Ich schere mich einen Dreck um mein Eigentum in diesem Ostlondon. Alles, was die hier haben wollen, sind die Moneten. Ich war selbst arm genug, weiß das also. Ich habe mich aus der Armut herausgearbeitet. Aber jetzt will ich mein Geld loswerden, und diese blöde Gesellschaft soll es nicht haben. Du bist ein Mann, dem ich vertraue. Füttere Leiber oder Seelen damit — ersteres ist besser. Ich bin auch hungrig gewesen. Mach damit, was du willst.«

»So etwas hat es meines Wissens nie vorher gegeben«, stammelte Borrow.

»Alles ist fix und fertig abgemacht«, fuhr Hamer fort. »Meine Rechtsanwälte haben die Einzelheiten festgelegt, ich habe bereits unterschrieben. Ich war fleißig in den letzten vierundzwanzig Tagen, glaub mir. Es ist ebenso schwierig, sein Vermögen loszuwerden, wie eines zu erwerben.«

»Aber du hast doch hoffentlich etwas behalten?«

»Nicht einen Penny«, sagte Hamer gutgelaunt. »Das heißt, das stimmt nicht ganz. Ich habe noch einen in meiner Hosentasche.« Er lachte. Er sagte seinem verstörten Freund »Auf Wiedersehen« und verließ die Pfarrei.

Hamer ging durch schmale, übelriechende Gassen. Die Worte, die er gerade noch heiter ausgesprochen hatte, klangen in seinen Ohren nach mit dem schmerzlichen Gefühl des Verlustes. »Nicht einen Penny!« Er hatte nichts von all seinem Reichtum behalten. Jetzt bekam er Angst — vor der Armut, dem Hunger, der Kälte. Der Verzicht hatte für ihn keine Süße.

Doch er wußte, daß er das lastende Gewicht und die bedrohenden Dinge weggeschafft hatte. Er war nicht mehr bedrückt und fühlte sich nicht mehr unfrei. Das Lösen der Ketten hatte ihn geängstigt und erschreckt, doch die Vision der Freiheit war da, um ihn zu stärken. Seine materiellen Bedürfnisse konnten den Ruf vielleicht abschwächen, töten konnten sie ihn nicht, denn er wußte, daß es etwas Unsterbliches war, das nicht untergehen konnte.

In der Luft lag ein Hauch von Herbst, und der Wind blies kalt. Er spürte die Kälte und zitterte, er war auch hungrig — hatte vergessen, zu Abend zu essen. Das brachte ihm seine Zukunft vor Augen. Es war unglaublich, daß er alles aufgegeben hatte: das leichte Leben, den Komfort, die Wärme. Sein Körper schrie danach. Doch dann überkam ihn wieder das frohe und loslösende Gefühl der Freiheit.

Hamer zögerte. Er war nahe an den Eingang einer U-Bahn-Station gekommen. Er hatte einen Penny in seiner Hosentasche. Ihm kam der Gedanke, zu dem Park zu fahren, wo er die herumliegenden Vagabunden beobachtet hatte — vor vierundzwanzig Tagen. Er plante seine Zukunft nach Laune. Er glaubte ernstlich, daß er jetzt wahnsinnig war. Gesunde Menschen handelten bestimmt nicht so, wie er es tat. Doch wenn es so war, dann war Wahnsinn eine wundervolle und erstaunliche Sache.

Jetzt würde er das offene Land aufsuchen — diesen Park, es lag für ihn eine besondere Bedeutung darin, ihn mit der U-Bahn zu erreichen. Die U-Bahn verkörperte für ihn die Greuel des Grabes, des abgeschlossenen Lebens ... Er würde ihrer Gefangenschaft entsteigen, in das weite Grün und zu den Bäumen, die das bedrohende Gewicht der Häuser verbargen.

Die Rolltreppe zog ihn schnell und unbarmherzig in die Tiefe. Die Luft war schwer und leblos. Er stand am äußersten Ende des Bahnsteigs, von der Menschenmenge so weit wie möglich entfernt. Zu seiner Linken war das Tunnelloch, durch das der Zug schlangenähnlich jeden Augenblick hervorkommen mußte. Er empfand den Ort als böse. Es war niemand in seiner Nähe, nur ein mickriger junger Kerl, der auf der Bank saß und — wie es schien — betrunken und stumpfsinnig war.

Aus der Ferne hörte man schwach das drohende Heranrollen des Zuges. Der Betrunkene erhob sich von der Bank und schwankte unsicher an Hamers Seite, wo er am Rand des Bahnsteigs stehenblieb und in den Tunnel stierte.

Da — es geschah unglaublich schnell — verlor er das Gleichgewicht und fiel vornüber.

Hunderte Gedanken huschten gleichzeitig durch Hamers Kopf. Er sah das formlose Lumpenbündel, das vom Autobus

überfahren worden war, und hörte eine heisere Stimme sagen:
»Machen Sie sich keine Vorwürfe, Mann. Sie hätten es doch
nicht verhindern können.« Gleichzeitig kam die Erkenntnis,
daß dieses Leben nur gerettet werden konnte, wenn er es
selbst rettete. Das schoß mit blitzartiger Geschwindigkeit
durch seinen Kopf. Er nahm eine kristallklare, ruhige Gewißheit seiner Gedanken wahr.

Ihm blieb weniger als eine Sekunde, sich zu entscheiden.
In diesem Moment wußte er, daß seine Angst vor dem Tode
unvermindert groß war. Er hatte entsetzliche Angst. Außerdem — war seine Hoffnung vergebens? Ein sinnloses Weg-
werfen zweier Leben gleichzeitig.

Zum Entsetzen der Zuschauer am anderen Ende des Bahnsteigs lag keine Atempause zwischen dem Fall des jungen
Burschen und dem folgenden Sprung des Mannes, und gleichzeitig bog der Zug, aus der Kurve des Tunnels kommend —
machtlos, noch rechtzeitig zu bremsen —, ins Licht des U-Bahn-
hofs ein.

Schnell riß Hamer den Jungen mit seinen Armen hoch. Kein
natürlicher Impuls der Tapferkeit trieb ihn. Sein zitterndes
Fleisch gehorchte dem Befehl eines fremden Geistes, der ein
Opfer forderte. Mit letzter Kraft schleuderte Hamer den Burschen nach oben auf den Bahnsteig, während er selbst fiel . . .

Dann starb plötzlich seine Angst. Die materielle Welt hielt
ihn nicht länger fest. Hamer war von seinen Fesseln befreit.
Er vermeinte noch einen Moment lang das fröhliche Flöten
des Pan zu hören. Dann war — alles andere überdröhnend —
das frohe Rauschen unzähliger Flügel, ihn einhüllend und um-
kreisend, da.

Der Domherr Parfitt schnaufte ein wenig. Für einen Mann in seinem Alter wurde es langsam beschwerlich, Zügen nachrennen zu müssen. Einmal war seine Figur nicht mehr die alte, und mit dem Verlust seiner Schlankheit hatte sich gleichzeitig eine rasch eintretende Atemnot bemerkbar gemacht. Diese entschuldigte der Domherr, wie auch jetzt, stets würdevoll mit den Worten: »Mein Herz, verstehen Sie?«

Er sank mit einem Schnaufer der Erleichterung in die Ecke des Abteils erster Klasse. Die Wärme des geheizten Zuges empfand er als äußerst angenehm. Draußen fiel Schnee. Er hatte Glück gehabt, für die lange Nachtreise noch einen Eckplatz zu erwischen. Diese Reise war sowieso lästig.

Die anderen drei Eckplätze waren schon besetzt. Während er dies feststellte, bemerkte der Domherr Parfitt, daß ihn der Mann in der entfernten Ecke ihm gegenüber freundlich und erkennend anlächelte. Dieser Mann war glattrasiert, sein Gesichtsausdruck war leicht spöttisch, und die Haare an den Schläfen begannen grau zu werden. Auf den ersten Blick stand fest, daß sein Beruf mit dem Gesetz in Zusammenhang stehen mußte. Niemand hätte ihn auch nur einen Moment lang einer anderen Berufsgruppe zugeteilt. Tatsächlich war Sir George Durand ein berühmter Rechtsanwalt.

»Guten Abend«, bemerkte er freundlich, »Sie mußten wohl ordentlich rennen, was?«

»Ist für mein Herz gar nicht gut, fürchte ich«, sagte der Domherr. »Welcher Zufall, Sie hier zu treffen, Sir George. Fahren Sie weit nach Norden?«

»Nach Newcastle«, sagte Sir George lakonisch. Dann fügte er hinzu: »Kennen Sie übrigens Dr. Campbell Clark?«

Der Mann, der auf derselben Seite des Abteils saß wie der Domherr, verbeugte sich höflich.

»Wir trafen uns auf dem Bahnsteig«, fuhr der Rechtsanwalt fort. »Ein zweiter Zufall.«

Parfitt musterte Dr. Campbell Clark mit deutlichem Interesse. Den Namen hatte er schon oft gehört. Dr. Clark war einer der ersten Nervenärzte und Spezialist für Geisteskrankheiten, sein letztes Buch »Das Problem des Unbewußten« gehörte zu den meistdiskutierten Büchern des Jahres.

Parfitt sah ein viereckiges Kinn, eindringliche blaue Augen und rötliches Haar, in dem noch kein grauer Schimmer zu bemerken war, das jedoch dünn zu werden schien. Er empfing auch den Eindruck einer starken Persönlichkeit.

Als vollkommen natürliche Überlegung musterte der Domherr nun den Mann, der ihm gegenübersaß. Parfitt erwartete bereits, auch dort einem erkennenden Blick zu begegnen, doch der vierte Mitreisende erwies sich als ein völlig Fremder — ein Ausländer, wie der Domherr annahm. Er war dunkler im Typ, als Erscheinung unbedeutend. In einen dicken Mantel gemummt, schien er fast eingeschlafen zu sein.

»Der Domherr Parfitt aus Bradchester?« fragte Dr. Campbell Clark mit angenehmer Stimme.

Der Domherr sah geschmeichelt aus. Seine wissenschaftlichen Predigten waren zu einem Schlager geworden — besonders seitdem auch die Zeitungen sie druckten. Ja, das war es, was die Kirche brauchte — moderne, interessante Aussagen.

»Ich habe Ihr Buch mit großem Interesse gelesen, Dr. Campbell Clark«, sagte er. »Obwohl es wegen der fachlichen Diktion hier und da für mich ein wenig schwer verständlich war.«

Durand unterbrach sie: »Möchten Sie sich lieber unterhalten oder schlafen, Hochwürden? Ich muß zugeben, daß ich seit einiger Zeit an Schlaflosigkeit leide und daß mir persönlich das erstere lieber wäre.«

»Ganz meine Meinung, auf jeden Fall«, sagte Parfitt. »Ich schlafe selten auf Nachtreisen, und das Buch, das ich mitgenommen habe, ist ziemlich langweilig.«

»Wir bilden jedenfalls eine vorbildliche Versammlung, in der alle Kräfte vertreten sind, die Kirche, das Gesetz und die Medizin«, bemerkte der Arzt lächelnd.

»Wir könnten also eine allumfassende Meinung über irgendein Problem bilden«, lachte Durand, »die Kirche vom geistlichen Blickwinkel her, ich für die rein weltlichen und rechtlichen Standpunkte, und Sie, Doktor für das weite Feld vom pathologischen bis zum superpsychologischen Standpunkt. Ich denke, wir drei könnten jedwedes Problem erschöpfend behandeln.«

»Nicht so vollständig, wie Sie glauben«, widersprach Dr. Clark. »Es fehlte nämlich ein Standpunkt, den Sie ausgelassen haben und der ziemlich wichtig ist.«

»Nämlich?«

»Der Standpunkt des sogenannten Mannes auf der Straße.«

»Ist der so wichtig? Hat nicht der ›Mann auf der Straße‹ gewöhnlich unrecht?«

»Fast immer. Aber er hat etwas, das bei der Meinung der Experten fehlt — den persönlichen Standpunkt. Denn schließlich geht nichts ohne persönliche Verbindungen, wissen Sie. Zu dieser Meinung bin ich durch meinen Beruf gekommen. Auf jeden Patienten, der zu mir kommt und wirklich krank ist, kommen wenigstens fünf, denen nichts anderes fehlt als die Fähigkeit, mit anderen harmonisch zusammenzuleben. Das äußert sich dann auf alle möglichen Arten, aber im Grunde ist es immer dasselbe: Eine rauhe Oberfläche erzeugt seelische Reibungen mit der Umwelt.«

»Ich stelle mir vor, eine Menge Ihrer Patienten hat es mit den Nerven«, bemerkte der Domherr verächtlich. Seine eigenen Nerven waren ausgezeichnet.

»Ach, was meinen Sie damit?« Der andere wandte sich ihm zu, schnell wie der Blitz. »Nerven! Die Leute gebrauchen dieses Wort und lachen darüber, wie Sie es jetzt tun. ›Ach, es ist nichts‹, sagen sie dann, ›es sind nur meine Nerven.‹ Aber mit diesem Wort haben sie dieses ungelöste und schwierigste Problem berührt. Sie können so ziemlich jedes x-beliebige, körperliche Leiden haben und davon geheilt werden. Aber wir wissen noch heutzutage nur wenig mehr von den hundert und aber hundert Formen von Geisteskrankheiten als — nun sagen wir — zur Zeit von Königin Elizabeth I.«

»Ach, du liebe Güte«, sagte der Domherr Parfitt, ein wenig beschämt über sein eigenes Lachen. »Ist das wirklich so?«

»Erinnern Sie sich doch, es ist eine Gnade Gottes«, fuhr Dr. Campbell Clark fort. »In früheren Zeiten betrachtete man den Menschen einfach als Tier: Körper und Seele — mit Schwerpunkt auf ersterem.«

»Körper, Seele und Geist«, berichtigte der Geistliche sanft.

»Geist?« Der Arzt lächelte merkwürdig. »Was meint ihr Kleriker eigentlich mit Geist? Ihr habt das niemals klar definiert, wissen Sie. Durch die ganzen Jahrhunderte hindurch habt ihr euch um eine exakte Erklärung herumgedrückt.«

Der Domherr räusperte sich, um seine Antwort vorzubereiten, doch zu seinem Ärger wurde ihm keine Gelegenheit dazu gegeben.

Der Arzt fuhr fort: »Sind wir überhaupt sicher, daß es Geist und nicht vielmehr Geister heißen muß?«

»Geister?« fragte Sir George Durand mit hochgezogenen Augenbrauen.

Ja.« Campbell Clark warf ihm unwillkürlich einen Blick zu. Er beugte sich vor und tippte dem anderen auf die Brust. Er sagte ernst: »Sind Sie sicher, daß in dieser Struktur nur ein einziger sitzt? Das ist doch der Körper, wie Sie wissen; eine begehrenswerte Residenz, die man möblieren muß — für sieben, einundzwanzig, einundvierzig, siebzig oder wieviel Jahre auch immer. Und am Ende schafft der Bewohner die Sachen hinaus — nach und nach —, dann geht alles aus dem Haus heraus . . . und das Haus verkommt, wird eine Stätte des Ruins, des Verfalls. Sie sind der Herr des Hauses — wir werden das zugeben. Aber waren Sie sich niemals der Anwesenheit anderer bewußt? Der leise auftretenden Diener, die man nur bemerkt an der Arbeit, die sie leisten — und deren Erledigung Ihnen niemals bewußt wurde? Oder der Freunde, mit Ihren Stimmungen, die Sie für die Zeit ihrer Anwesenheit, wie man so sagt, zu einem anderen machten? Sie sind der König im Schloß, ganz richtig, aber seien Sie davon überzeugt, der Teufel ist auch drin.«

»Mein lieber Clark«, grunzte der Rechtsanwalt, »was Sie da sagen, verursacht mir ein äußerst unangenehmes Gefühl. Ist mein eigenes Wesen wirklich das Schlachtfeld einander bekämpfender Persönlichkeiten? Ist das der Wissenschaft letzter Schluß?«

Jetzt war es an dem Arzt, die Achseln zu zucken.

»Ihr Körper jedenfalls«, sagte er trocken. »Und wenn der Körper so ein Schlachtfeld ist, warum nicht auch der Geist?«

»Sehr interessant«, sagte der Domherr Parfitt, »eine großartige Wissenschaft.« Für sich dachte er, aus dem Gedanken kann ich eine aufsehenerregende Predigt machen . . .

Dr. Campbell Clark hatte sich in seine Polster zurückgelehnt, seine momentane Aufregung war verflogen. In trockenem Berufston bemerkte er: »Es ist jedenfalls eine Tatsache, daß ich heute abend wegen eines Falles von Persönlichkeitsspaltung nach Newcastle fahre. Sehr interessanter Fall. Natürlich eine Art Nervenkrankheit, aber ziemlich ernst.«

»Persönlichkeitsspaltung«, wiederholte Sir George Durand gedankenvoll. »Das ist nicht allzu selten, glaube ich. Es gibt auch so etwas wie Gedächtnisschwund, nicht wahr? Ich erinnere mich an einen Fall, den wir neulich im Erbschaftsgericht hatten.«

Dr. Clark nickte.

»Ein klassischer Fall dafür war der von Felicie Bault«, sagte er. »Sie werden bestimmt davon gehört haben.«

»Natürlich«, entgegnete der Domherr Parfitt. »Ich erinnere mich, in den Zeitungen darüber gelesen zu haben — aber das ist schon eine ganze Weile her, mindestens sieben Jahre.«

Dr. Campbell nickte.

»Dieses Mädchen wurde in Frankreich sehr bekannt. Wissenschaftler aus der ganzen Welt kamen zu ihr, um sie zu sehen. Sie hatte nicht weniger als vier verschiedene Persönlichkeiten. Sie wurden bekannt als Felicie 1, Felicie 2, Felicie 3 und so weiter.«

»Nahm man nicht auch dabei vorsätzlichen Betrug an?« fragte Sir George lebhaft.

»Die Verschiedenartigkeit der Persönlichkeiten von Felicie 3 und Felicie 4 war ein bißchen anzweifelbar«, gab der Arzt zu. »Aber die wesentlichen Tatsachen bleiben. Felicie Bault war ein Bauernmädchen aus der Normandie. Sie war das dritte von fünf Kindern, die Tochter eines Säufers und einer geistig nicht gesunden Mutter. Während eines seiner Saufgelage erwürgte der Vater die Mutter und wurde daraufhin, soweit ich mich entsinnen kann, lebenslänglich eingesperrt. Felicie war damals fünf Jahre alt. Mitleidige Leute kümmerten sich um die Kinder, und Felicie wurde von einer unverheirateten englischen Adeligen aufgenommen und erzogen. Die Dame hatte eine Art Heim für notleidende Kinder. Sie konnte mit Felicie wenig anfangen. Sie beschrieb das Mädchen als anomal langsam und dumm, dem man nur mit allergrößter Mühe Lesen und Schreiben beibringen konnte und dessen Hände ungeschickt seien. Diese Dame, Miss Slater, versuchte, aus dem Mädchen eine Hausgehilfin zu machen. Sie fand auch einige Anstellungen für Felicie, als sie alt genug dazu war, diese Stellungen anzunehmen. Aber nirgendwo blieb sie lange, und zwar wegen ihrer Dummheit und ungewöhnlichen Faulheit.«

Der Arzt machte eine Pause, und der Domherr, der die Beine übereinander legte und sein Reisegepäck näher zusammenschob, bemerkte plötzlich, daß der Mann, der ihm gegenüber saß, sich leicht bewegte. Seine Augen, die er bisher geschlossen gehalten hatte, waren jetzt geöffnet, und sein Blick war mit spöttischem und undefinierbarem Ausdruck auf den würdigen Domherrn gerichtet. Es hatte den Anschein, als ob der Mann zugehört und sich heimlich über das amüsiert habe, was er gehört hatte.

»Es gibt da eine Fotografie, die Felicie Bault im Alter von siebzehn zeigt«, fuhr der Arzt fort. »Sie zeigt sie als ungeschlachtes Bauernmädchen von recht derbem Bau. Nichts auf dem Bild deutet darauf hin, daß sie bald eine der bekanntesten Persönlichkeiten in Frankreich werden würde. Fünf Jahre später, mit 22, hatte Felicie Bault eine schwere Nervenkrankheit, und bei der Genesung begann sich das seltsame Phänomen zu manifestieren. Das Folgende sind Tatsachen, die von vielen berühmten Wissenschaftlern bestätigt wurden. Die Persönlichkeit der Felicie 1 war nicht unterscheidbar von der Felicie Bault, die das Mädchen die zweiundzwanzig Jahre hindurch gewesen war. Felicie 1 schrieb Französisch nur schlecht und recht. Sie sprach keine Fremdsprachen und konnte nicht Klavier spielen. Felicie 2 dagegen sprach fließend Italienisch und sogar etwas Deutsch. Ihre Handschrift war der der Felicie 1 sehr unähnlich, sie schrieb fließend Französisch, und zwar mit gutem Ausdruck. Sie konnte über politische Fragen und Kunst diskutieren, und sie spielte leidenschaftlich gern Klavier. Felicie 3 hatte mit Felicie 2 viel gemeinsam. Sie war intelligent und offensichtlich gut erzogen, doch was Moral und Charakter anging, war sie das extreme Gegenteil. Sie schien ein äußerst verdorbenes Geschöpf zu sein – aber nur im pariserischen, nicht im provinziellen Sinne. Sie kannte alle Gaunerausdrücke von Paris und die Sprache der eleganten Halbwelt. Ihre Redewendungen waren unflätig, und sie schimpfte wüst auf die Religion und die sogenannten ›feinen Leute‹. Schließlich gab es noch Felicie 4 – ein verträumtes, dösiges, halbirres Geschöpf, besonders fromm und angeblich hellseherisch begabt. Diese vierte Persönlichkeit war unbefriedigend und wenig aufschlußreich. Man hat manchmal angenommen, sie sei ein vorsätzlicher Betrug auf Kosten von Felicie 3 – eine Art Scherz, den sie sich leichtgläubigen Zuhörern gegenüber erlaubte.«

Der Arzt machte eine kleine Pause.

»Hierzu muß ich sagen, allerdings muß ich Felicie 4 davon ausschließen, daß jede Persönlichkeit verschieden und völlig getrennt von jeder anderen war und von den anderen Persönlichkeiten keine Kenntnis hatte. Felicie 2 war unzweifelhaft die dominierende und blieb manchmal vierundzwanzig Stunden lang vorherrschend, dann mochte urplötzlich für ein oder zwei Tage wieder Felicie 1 erscheinen. Danach vielleicht Felicie 3 oder 4, aber die beiden letzteren blieben selten länger als ein paar Stunden bemerkbar. Jeder Wechsel wurde von heftigen Kopfschmerzen begleitet, mit schwerem Schlaf, und bei jedem Fall trat ein absoluter Gedächtnisschwund der vorangegangenen Persönlichkeit ein. Die gerade herrschende Persönlichkeit nahm das Leben da wieder auf, wo sie es verlassen hatte, und war sich der Zeit, die dazwischen lag, nicht bewußt.«

»Bemerkenswert«, murmelte der Domherr, »sehr bemerkenswert. Wie wenig wir doch von den Wundern des Universums wissen!«

»Wir wissen, daß es darin ein paar sehr schlaue Betrüger gab«, bemerkte der Rechtsanwalt trocken.

»Der Fall der Felicie Bault wurde von Rechtsanwälten, Ärzten und Wissenschaftlern untersucht«, sagte Dr. Campbell Clark schnell. »Der bekannte Quimbellier, Sie werden sich erinnern, führte eingehende Untersuchungen durch und bestätigte die Ansichten der Wissenschaftler. Warum sollte uns das überhaupt so sehr überraschen? Wir finden doch häufig Eier mit zwei Dottern, oder etwa nicht? Oder Zwillingsbananen? Warum keine Doppelseele oder, wie in diesem Fall, eine vierfache Seele — in einem einzigen Körper?«

»Doppelseele?« protestierte der Domherr.

Dr. Campbell Clark wandte ihm seinen durchdringenden blauen Blick zu.

»Wie sollen wir das anders bezeichnen? Vorausgesetzt, daß die Persönlichkeit überhaupt die Seele ist?«

»Es ist gut, daß so etwas nur selten als ›Naturlaune‹ auftritt«, bemerkte Sir George. »Wenn dieser Fall normal wäre, würde das zu recht hübschen Komplikationen führen.«

»Dieser Fall ist allerdings ungewöhnlich«, stimmte der Arzt zu. »Es war jammerschade, daß keine längeren Studien betrieben werden konnten. Durch Felicies unerwarteten Tod wurde allem ein rasches Ende gesetzt.«

»Dieser Tod war sonderbar, wenn ich mich recht erinnere«, sagte der Rechtsanwalt langsam.

Dr. Campbell Clark nickte.

»Eine völlig unerklärliche Geschichte. Das Mädchen wurde eines Morgens tot im Bett gefunden. Sie war offensichtlich erdrosselt worden. Aber zu jedermanns Überraschung konnte ohne jeden Zweifel bewiesen werden, daß sie sich selbst erdrosselt hatte. Die Male an ihrem Hals stammten von ihren eigenen Fingern. Eine Selbstmordart, die, obwohl körperlich nicht unmöglich, eine beachtliche Muskelkraft und große menschliche Willensstärke erfordert. Was das Mädchen zu einer solchen Wahnsinnsanstrengung getrieben hat, wurde nie herausgefunden. Ihr seelisches Gleichgewicht muß immer labil gewesen sein, aber damit endete alles. Der Vorhang fiel für immer über das Geheimnis der Felicie Bault.«

In diesem Moment lachte der Mann in der vierten Ecke auf.

Die drei anderen fuhren herum, wie von der Tarantel gestochen. Sie hatten die Existenz des Vierten vollkommen vergessen. Als sie auf den Platz starrten, auf dem er saß — noch immer eingemummt in seinen Mantel —, lachte er wieder.

»Sie müssen entschuldigen, Gentlemen«, sprach er in perfektem Englisch, das nichtsdestoweniger einen ausländischen Klang hatte.

Er setzte sich auf und entblößte ein blasses Gesicht mit kleinem, pechschwarzem Schnurrbart.

»Ja, Sie müssen entschuldigen«, sagte er und verbeugte sich spöttisch. »Aber wirklich! Wurde in der Wissenschaft jemals das letzte Wort gesprochen?«

»Wissen Sie etwas von dem Fall, über den wir sprechen?« fragte der Arzt höflich.

»Von dem Fall? Nein. Aber ich kannte sie.«

»Felicie Bault?«

»Ja. Und Annette Ravel auch. Sie haben niemals von Annette Ravel gehört, wie ich sehe? Die Geschichte der einen ist gleichzeitig die Geschichte der anderen. Glauben Sie mir, Sie wissen nichts von Felicie Bault, wenn Sie nicht auch die Geschichte der Annette Ravel kennen.«

Er zog seine Uhr hervor und sah darauf.

»Noch genau eine halbe Stunde bis zur nächsten Station. Ich habe Zeit, Ihnen die Geschichte zu erzählen — das heißt, wenn Sie sie hören wollen.«

»Bitte, erzählen Sie«, antwortete der Arzt ruhig.

»Herzlich gern«, sagte Parfitt. »Herzlich gern.«

Sir George Durand nahm nur eine Haltung gespannter Aufmerksamkeit an.

»Mein Name«, begann der fremde Reisegefährte, »ist Raoul Letardeau. Sie hatten von einer englischen Dame gesprochen, einer Miss Slater, die ihr Leben der Wohltätigkeit gewidmet hatte. Ich wurde in diesem Fischerdorf in der Bretagne geboren, und als meine Eltern bei einem Zugunglück ums Leben kamen, war es Miss Slater, die mir zu Hilfe kam und mich vor dem bewahrte, was Sie Engländer das Waisenhaus nennen. Sie hatte schon an die zwanzig Kinder unter ihrer Obhut, Mädchen und Jungen. Unter diesen Kindern waren auch Felicie Bault und Annette Ravel. Wenn es mir nicht gelingt, Ihnen die Persönlichkeit von Annette verständlich zu machen, Gentlemen, werden Sie nichts verstehen. Sie war das Kind eines, wie man bei uns sagt, ›fille de joie‹, eines Freudenmädchens, das, von seinem Liebhaber verlassen, an Tuberkulose gestorben war. Die Mutter war Tänzerin gewesen, und auch Annette hatte den Wunsch, zu tanzen. Als ich sie zum erstenmal sah, war sie ein Kind von elf Jahren, ein kleines Ding mit Augen, die abwechselnd spotteten und versprachen — ein kleines Wesen, ganz Feuer und Leben. Auf einmal machte sie mich zu ihrem Sklaven. ›Raoul, tu dies für mich; Raoul, tu das für mich.‹ Und ich gehorchte. Ich betete sie an, und sie wußte es.

Manchmal gingen wir zum Strand hinunter, zu dritt — denn Felicie kam immer mit. Dann zog Annette Schuhe und Strümpfe aus und tanzte auf dem Sand. Und wenn sie atemlos niedersank, erzählte sie uns, was sie tun und was sie sein würde.

›Seht ihr, ich werde berühmt werden. Ja, ganz groß und berühmt. Ich werde Hunderte und Tausende von Seidenstrümpfen haben — die feinsten Seidenstrümpfe. Und ich werde ein wunderschönes Appartement haben. Alle meine Liebhaber werden jung und schön und auch reich sein. Und wenn ich tanze, wird ganz Paris kommen, mir zuzusehen. Sie werden staunen und schreien und rufen und ganz wahnsinnig werden, wenn ich tanze. Aber im Winter werde ich nicht tanzen. Da fahre ich in den Süden, in die Nähe der Sonne. Dort gibt es Villen mit Orangenbäumen. Eine davon wird mir gehören. Ich werde auf seidenen Kissen in der Sonne liegen und Orangen essen. Und dich, Raoul, werde ich nie vergessen, wenn ich auch noch so reich und berühmt bin. Ich werde dich beschützen und deine Karriere fördern. Felicie wird meine Zofe sein — nein, ihre Hände sind zu ungeschickt. Sieh sie dir nur an, wie groß und schwerfällig sie sind.‹

Felicie wurde dann böse. Aber Annette fuhr fort, sie aufzuziehen.

›Sie ist so damenhaft, Felicie — so elegant, so vornehm. Sie ist eine verkleidete Prinzessin — ha, ha.‹

›Mein Vater und meine Mutter waren verheiratet, das ist besser als bei deinen Eltern‹, zischte Felicie dann verächtlich.

›Ja, und dein Vater hat deine Mutter umgebracht. Eine feine Sache, die Tochter eines Mörders zu sein.‹

›Und dein Vater hat deine Mutter verfaulen lassen‹, entgegnete Felicie.

›Ach ja.‹ Annette wurde nachdenklich. ›Arme Mama. Man muß gesund und stark bleiben. Das ist das Wichtigste: Man muß gesund und stark bleiben.‹

›Ich bin stark wie ein Pferd‹, prahlte Felicie.

Das war sie wirklich. Sie hatte doppelt so viel Kraft wie jedes andere Mädchen im Heim. Und sie war niemals krank. Aber sie war dumm, verstehen Sie, dumm wie ein blödes Tier. Ich wunderte mich oft, warum sie immer Annette nachlief, überallhin. Aber es ging von ihr eine Art Faszination aus. Manchmal haßte sie Annette, glaube ich, denn Annette war wirklich nicht nett zu ihr. Sie verhöhnte Felicies Langsamkeit und Dummheit und quälte sie in Gegenwart der anderen. Ich habe gesehen, wie Felicie ganz weiß vor Wut wurde. Manchmal habe ich gedacht, daß sie die Finger um Annettes Hals legen und ihr das Leben nehmen würde. Sie war nicht klug und nicht schnell genug, auf Annettes Beleidigungen die richtigen Antworten zu finden, aber sie erfaßte mit der Zeit, daß sie ihr nur ganz Bestimmtes zu erwidern brauchte, das nie seine Wirkung verfehlte. Das war der Hinweis auf ihre Gesundheit und Stärke. Sie erfaßte das, was ich schon wußte: Annette beneidete sie um ihre körperliche Stärke, und instinktiv traf Felicie damit die schwache Stelle ihrer Feindin.

Eines Tages kam Annette besonders fröhlich zu mir.

›Raoul‹, sagte sie, ›wir werden mit der dummen Felicie einen Scherz machen. Wir werden sterben vor Lachen.‹

›Was hast du vor?‹

›Komm hinter den Vorhang, dann erzähle ich es dir.‹

Wie es schien, hatte Annette irgendwo ein Buch aufgetrieben. Den größten Teil hatte sie nicht verstanden. Wahrscheinlich war alles ein bißchen zu hoch für sie. Es war ein frühes Werk über Hypnose.

›Es muß etwas Glänzendes sein, steht darin. Ich habe dazu die Messingkugel an meinem Bettgestell ausgesucht. Man kann sie drehen. Vergangene Nacht ließ ich Felicie sie ansehen. Sieh immer nur den Knopf an! habe ich gesagt. Du darfst deinen Blick nicht wegnehmen! Dann drehte ich die Kugel. Raoul, ich habe richtig Angst bekommen. Ihre Augen sahen so komisch aus — wie wahnsinnig, schrecklich. Felicie, habe ich sie gefragt, wirst du alles tun, was ich sage? Ich werde alles tun, was du sagst, Annette, hat sie geantwortet. Und dann sagte ich: Morgen um zwölf Uhr wirst du eine weiße Wachskerze auf den Spielplatz mitbringen und sie dort aufessen. Wenn dich jemand fragt, sagst du, es sei die beste Zuckerstange, die du je gegessen hättest. Oh, Raoul, denk dir das bloß aus!‹

›So etwas wird sie nie wirklich tun‹, warf ich ein.

›In dem Buch steht aber, daß sie es doch tut. Ich kann es auch nicht glauben — aber, oh, Raoul, wenn das alles stimmt, was in dem Buch steht, was gäbe das für einen Spaß!‹

Ich selbst fand die Idee auch lustig. Wir erzählten es unseren Kameraden, und um zwölf waren wir alle auf dem Spielplatz. Pünktlich auf die Minute kam Felicie mit einer Kerze und begann feierlich, daran herumzuknabbern. Ja, meine Herren, wir waren alle ganz aus dem Häuschen! Jeden Augenblick ging ein anderes Kind zu Felicie und fragte sie, ob das gut schmecke, was sie da äße. Und Felicie antwortete jedesmal, daß es die beste Zuckerstange sei, die sie je gegessen habe ... Wir bogen uns vor Lachen. Wir lachten so laut, daß der Lärm Felicie aufzuwecken und in die Wirklichkeit zurückzurufen schien. Sie blinzelte erstaunt mit den Augen, starrte auf die Kerze, dann auf uns. Schließlich fuhr sie sich mit der Hand über die Stirn. ›Ja, was tue ich denn da?‹ murmelte sie.

›Du ißt eine Kerze!‹ brüllten wir.

›Ich befahl dir das. Ich befahl dir das‹, schrie Annette vor Freude und tanzte herum.

Felicie starrte sie einen Moment lang an. Dann ging sie langsam auf Annette zu.

›Dann bist du es, die mich lächerlich gemacht hat. Ich glaube, ich erinnere mich. Oh, ich werde dich dafür töten.‹

Sie hatte das sehr ruhig gesagt, so daß Annette plötzlich wegrannte und sich hinter mir versteckte.

›Rette mich, Raoul! Ich habe Angst vor Felicie. Es war doch nur ein Scherz, Felicie. Nur ein Scherz.‹

›Ich mag solche Scherze nicht‹, sagte Felicie. ›Versteht ihr? Ich hasse dich. Ich hasse euch alle!‹

Dann brach sie plötzlich in Tränen aus und rannte fort.

Annette war, glaube ich, über das Ergebnis ihres Experiments erschrocken und versuchte nicht, es zu wiederholen. Doch von diesem Tage an schien ihre Herrschaft über Felicie noch stärker geworden zu sein.

Ich glaube heute, Felicie haßte sie tödlich, aber sie konnte Annette nicht mehr verlassen. Sie lief Annette überall nach wie ein Hund.

Tja, meine Herren, bald darauf nahm ich meine erste Stellung an. Ich besuchte das Heim nur noch während meiner Ferien. Annettes Wunsch, Tänzerin zu werden, war nicht ernst zu nehmen gewesen, aber als sie älter wurde, entwickelte sie eine hübsche Singstimme, und Miss Slater erklärte sich damit einverstanden, ihr Gesangsstunden geben zu lassen.

Annette war nicht faul. Sie arbeitete fieberhaft, ohne sich Ruhe zu gönnen. Miss Slater mußte sie manchmal davon abhalten, sich zu überanstrengen. Einmal sprach sie mit mir über Annette.

›Du hast Annette doch immer gern gemocht. Rede auf sie ein, daß sie nicht zuviel arbeitet. Neulich hatte sie einen Husten, der mir gar nicht gefiel.‹

Durch meine Arbeit mußte ich bald darauf weit fortfahren. Zuerst erhielt ich noch ein oder zwei Briefe von Annette, dann folgte Schweigen. Dann war ich fünf Jahre in Amerika.

Durch Zufall kam ich danach wieder nach Paris. Ich las ein Plakat, das eine Annette Ravelli ankündigte. Es war auch ein Bild der Dame darauf abgebildet. Ich erkannte sie sofort wieder. Am Abend ging ich in das bezeichnete Theater. Annette sang in französischer und italienischer Sprache. Auf der Bühne war sie großartig. Nachher ging ich in ihre Garderobe. Sie empfing mich sofort.

›Oh, Raoul!‹ rief sie aus und streckte mir ihre weißen

Hände entgegen. ›Das ist wunderbar. Wo bist du in all den Jahren gewesen?‹

Ich erzählte es ihr, aber sie schien nicht richtig zuzuhören. ›Siehst du, jetzt habe ich es fast erreicht.‹

Triumphierend wies sie auf ihre Garderobe, die voll von Blumen war.

›Die gute Miss Slater muß sehr stolz sein auf deinen Erfolg.‹

›Die Alte? Nein, überhaupt nicht. Sie wollte doch, daß ich aufs Konservatorium gehe, weißt du nicht mehr? Ich sollte Konzertsängerin werden. Aber ich bin eine Künstlerin. Hier auf der Varietébühne kann ich mich am besten verwirklichen.‹

In dem Moment trat ein gutaussehender Mann im besten Alter ein. Sein Benehmen war vornehm und wohlerzogen. Bald entnahm ich seinen Gesprächen, daß er Annettes Manager war. Er sah zu mir hin, und Annette erklärte ihm, daß ich ein Freund aus ihrer Kinderzeit und gerade in Paris sei, hier ihr Bild auf dem Plakat gesehen habe.

Daraufhin war der Herr sehr leutselig und freundlich zu mir. In meiner Gegenwart holte er ein Brillantarmband hervor und legte es um Annettes Handgelenk. Als ich mich erhob, um fortzugehen, wandte sie sich mir mit einem triumphierenden Blick zu.

Aber als ich ihre Garderobe verließ, hörte ich ihren Husten, einen scharfen, trockenen Husten. Ich wußte, was dieser Husten bedeutete. Er war das Erbe ihrer tuberkulösen Mutter.

Zwei Jahre darauf sah ich sie wieder. Sie hatte bei Miss Slater Zuflucht gesucht. Ihre Karriere war zusammengebrochen. Ihre Krankheit war weit fortgeschritten, und die Ärzte sagten, daß man nichts mehr tun könne.

Ach, ich werde niemals vergessen, wie ich sie sah. Sie lag an einem geschützten Platz im Garten. Man hielt sie Tag und Nacht draußen. Ihre Wangen waren hohl und gerötet, ihre Augen glänzten fiebrig, und sie hustete sehr viel. Sie begrüßte mich mit einer Verzweiflung, die mich verblüffte.

›Es tut gut, dich zu sehen, Raoul. Du weißt, was sie sagen — daß es mit mir zu Ende geht. Sie sagen es hinter meinem Rücken, verstehst du? Wenn sie mit mir sprechen, sind sie zuversichtlich und trösten mich. Aber es ist nicht wahr, Raoul, es ist nicht wahr! Ich werde mir selbst nicht erlauben, zu sterben. Sterben? Jetzt, wo ein schönes Leben vor mir liegt. Es ist der Wille, zu leben, darauf kommt es an. Das sagen alle berühmten Ärzte von heute. Ich gehöre nicht zu den Schwachen, die sich gehenlassen. Ich fühle mich schon viel besser — sehr viel besser, hörst du!‹

Sie richtete sich auf und stützte sich auf die Ellbogen, um ihren Worten Nachdruck zu verleihen, dann fiel sie zurück, von heftigem Husten geschüttelt, der ihren ausgezehrten dünnen Körper hin und her warf.

›Der Husten — das ist nichts‹, japste sie. ›Und die Blutstürze erschrecken mich nicht. Ich werde die Ärzte überraschen. Es ist der Wille, auf den es ankommt. Denk daran, Raoul, ich werde leben.‹

Es war entsetzlich, erbarmungswürdig, verstehen Sie?

Da kam Felicie Bault mit einem Tablett heraus, mit einem Glas heißer Milch. Sie reichte es Annette und sah ihr beim Trinken mit einem unergründlichen Ausdruck in den Augen zu. Irgendwie schien dieser Blick eine innere Befriedigung auszudrücken. Auch Annette fing den Blick auf. Sie schleuderte das Glas fort, daß es in Stücke zersprang.

‹Siehst du, wie sie mich ansieht? So sieht sie mich jetzt immer an. Sie freut sich, daß ich bald sterbe. Ja, sie weidet sich daran. Sie, die so stark und gesund ist. Sieh sie nur an, keinen Tag war sie krank, nicht einen einzigen! Und alles für nichts. Was nützt ihr ihr starkes Gerippe? Was kann sie damit machen?‹

Felicie bückte sich und hob die Glassplitter auf.

›Ich mache mir nichts daraus, was sie sagt‹, bemerkte sie dabei mit einer singenden Stimme. ›Was macht das schon? Ich bin ein ehrbares Mädchen. Aber was sie betrifft, wird sie die Qualen des Fegefeuers bald kennenlernen. Ich bin eine Christin, ich sage nichts.‹

›Du haßt mich!‹ schrie Annette. ›Du hast mich immer gehaßt. Aber ich kann dich verzaubern, trotz alledem. Ich kann dir befehlen, etwas zu tun, ganz egal was, und du wirst es tun. Siehst du, ich kann dir jetzt sagen, du sollst hier vor mir im Gras niederknien, und du wirst es tun.‹

›Das ist ja albern‹, sagte Felicie mit Unbehagen.

›Aber ja, du wirst es tun. Du wirst! Um mir zu Gefallen zu sein. Herunter auf deine Knie. Ich sage es dir, ich Annette. Auf deine Knie, Felicie!‹

Ob es nun der besondere Ton war, der in Annettes Stimme schwang, oder ein tieferes Motiv — Felicie gehorchte. Sie sank langsam auf ihre Knie nieder, ihre Arme weit ausgestreckt, und ihr Gesichtsausdruck war leer und dumm.

Annette warf den Kopf zurück und lachte.

›Sieh nur, was für ein dummes Gesicht sie hat! Wie lächerlich sie aussieht ... Du kannst jetzt wieder aufstehen, Felicie, danke. Es hat keinen Zweck, mich so böse anzusehen, ich bin deine Herrin. Du mußt tun, was ich sage.‹

Erschöpft sank sie in die Kissen zurück. Felicie nahm das Tablett und ging langsam fort. Einmal sah sie noch über ihre Schulter zurück, und der schwelende Haß in ihrem Blick erschreckte mich.

Ich war nicht dabei, wie Annette starb. Aber es muß schrecklich gewesen sein. Sie hing am Leben. Sie kämpfte gegen den Tod wie eine Wahnsinnige. Wieder und wieder soll sie geschrien haben: ›Ich will nicht sterben — hört ihr mich? Ich will nicht sterben, ich will leben — leben —‹

Miss Slater erzählte mir alles, als ich sie sechs Monate später wieder besuchte.

›Mein armer Raoul‹, sagte sie freundlich. ›Du hast sie immer geliebt, nicht wahr?‹

›Immer — immer. Aber was konnte ihr das nützen? Lassen Sie uns nicht mehr davon sprechen. Sie ist tot — sie, die so sprühend war, so voller Leben.‹

Miss Slater war eine mitfühlende Frau. Sie sprach von anderen Dingen. Sie machte sich um Felicie große Sorgen, sagte sie. Das Mädchen habe einen merkwürdigen Nervenzusammenbruch erlitten. Seitdem sei ihr Verhalten sehr seltsam.

›Wissen Sie‹, ergänzte Miss Slater nach einigem Zögern, ›sie lernt jetzt Klavier spielen.‹

Das wußte ich nicht, und es überraschte mich sehr. Felicie — und Klavier spielen lernen! Ich hätte sofort beschwören können, daß das Mädchen nicht eine Note von der anderen unterscheiden konnte.

›Sie hat Talent, sagt man‹, fuhr Miss Slater fort. ›Ich kann das nicht verstehen. Ich habe sie immer für — nun, Raoul, du weißt schon, sie war immer ein dummes Mädchen.‹

Ich nickte.

›Sie ist oft so seltsam — ich weiß dann wirklich nicht, wie ich alles verstehen soll.‹

Ein wenig danach betrat ich den Lesesaal. Felicie spielte Klavier. Sie spielte eine Melodie, die ich Annette in Paris hatte singen hören. Verstehen Sie, meine Herren? Es gab mir einen ordentlichen Schock. Als sie mich hörte, brach sie ab und wandte sich mir zu, ihre Augen voller Spott und Intelligenz. Einen Moment lang dachte ich — nun, ich will nicht sagen, was ich dachte.

›Tiens‹, sagte sie. ›Da sind Sie ja, Monsieur Raoul.‹

Ich kann die Art, wie sie das sagte, nicht beschreiben. Für Annette hatte ich nie aufgehört, Raoul zu sein. Aber Felicie hatte mich, seit wir uns als Erwachsene wiedergetroffen hatten, immer mit ›Monsieur Raoul‹ angeredet. Aber die Art, wie sie es jetzt sagte, war ganz anders — so, als ob das ›Monsieur‹, leicht übertrieben ausgesprochen, sie irgendwie amüsierte.

›Ach, Felicie‹, stammelte ich. ›Sie sehen heute ganz anders aus. Woher kommt das?‹

›So? Tue ich das?‹ fragte sie nachdenklich. ›Das ist komisch. Aber seien Sie nicht so feierlich, ich werde Sie wieder Raoul nennen. Spielten wir nicht als Kinder zusammen? Damals war das Leben noch freundlicher. Lassen Sie uns von der armen Annette sprechen — sie ist tot und begraben. Wo mag sie nur sein, ob im Fegefeuer oder wo, ich möchte es zu gern wissen.‹

Und sie trällerte etwas von einem Lied, nicht sehr deutlich, aber die Worte ließen mich aufhorchen.

›Felicie‹, rief ich aus. ›Sie sprechen Italienisch?‹

›Warum denn nicht, Raoul? Ich bin gar nicht so dumm, wie ich immer tue.‹ Sie lachte über meine Verwunderung.

›Ich verstehe nicht —‹

›Dann will ich es dir erzählen. Ich bin eine sehr gute Schauspielerin, obwohl das niemand vermutet. Ich kann viele Rollen spielen — und ich spiele sie gut.‹ Wieder lachte sie und lief rasch aus dem Zimmer, bevor ich sie aufhalten konnte.

Ehe ich abfuhr, sah ich sie wieder. Sie war in einem großen Sessel eingeschlafen. Sie schnarchte laut. Ich blieb stehen und beobachtete sie, fasziniert, doch innerlich abgestoßen. Plötzlich wachte sie auf und fuhr hoch. Ihr Blick, stumpf und leblos, traf den meinen.

›Monsieur Raoul‹, stammelte sie mechanisch.

›Ja, Felicie, ich muß jetzt gehen. Möchten Sie mir nicht noch einmal etwas vorspielen, bevor ich gehe?‹

›Ich? Spielen? Sie machen sich über mich lustig, Monsieur Raoul.‹

›Aber Sie haben mir doch heute morgen etwas vorgespielt. Erinnern Sie sich nicht mehr?‹

Sie schüttelte den Kopf.

›Ich, gespielt? Wie kann ein armes Mädchen wie ich Klavier spielen?‹

Sie hielt einen Moment inne, als ob sie über etwas nachdächte. Dann winkte sie mich näher zu sich heran.

›Monsieur Raoul, hier in diesem Haus geschehen merkwürdige Dinge. Sie denken sich Betrügereien und üble Scherze aus. Sie verstellen ihre Uhren. Ja, ja, ich weiß genau, was ich sage. Und alles ist ihr Werk.‹

›Wessen Werk?‹ fragte ich verblüfft.

›Das von Annette — dieser bösen Hexe! Als sie noch lebte, hat sie mich immer gequält. Jetzt, da sie tot ist, kommt sie von den Toten zurück, um mich zu quälen. Sie war schlecht, durch und durch schlecht, glauben Sie mir!‹

Ich starrte Felicie an und konnte sehen, daß sie entsetzliche Angst hatte. Ihre Augen traten aus dem Kopf hervor.

›Sie war schlecht. Sie würde Ihnen das Brot vom Mund wegreißen und die Kleider vom Körper — und die Seele aus dem Leib . . .‹

Sie preßte mich plötzlich an sich.

›Ich habe Angst, hören Sie — Angst! Ich höre ihre Stimme, nicht in meinen Ohren — nein, hier in meinem Kopf!‹ Sie tippte sich an die Stirn. ›Sie will mich aus mir selber vertreiben — mich ganz aus mir selber vertreiben, was soll dann aus mir werden?‹

Ihre Stimme hatte sich fast zum Schreien erhoben. Aus ihren Augen starrte die animalische Angst eines todwunden Tieres . . . Plötzlich lächelte sie, ein freundliches Lächeln voller Schlauheit, aber etwas war an diesem Lächeln, das mich erschauern ließ.

›Wenn es einmal soweit kommt, Monsieur Raoul . . . Ich bin sehr stark mit den Händen — ich habe sehr starke Hände, . . .‹

Ich hatte niemals vorher mit Bewußtsein ihre Hände angesehen. Ich sah sie jetzt an und erschrak gegen meinen Willen. Untersetzte, gedrungene, brutale Hände und — wie Felicie gesagt hatte — ungewöhnlich kräftig . . . Ich kann Ihnen die Übelkeit nicht beschreiben, die ich empfand. Mit Händen

wie diesen mußte ihr Vater ihre Mutter erwürgt haben ...
Das war das letztemal, daß ich Felicie sah.

Anschließend mußte ich nach Südamerika fahren. Ich kehrte erst zwei Jahre nach ihrem Tod wieder zurück. Ich hatte in den Zeitungen über ihr Leben und von ihrem plötzlichen Tod gelesen. Dann habe ich noch einige Einzelheiten mehr erfahren — heute abend, von Ihnen, meine Herren. Felicie 3 und Felicie 4, wie Sie sagten. Sie war eine gute Schauspielerin, wissen Sie.«

Der Zug verlor langsam an Geschwindigkeit. Der Mann in der Ecke setzte sich aufrecht und knöpfte seinen Mantel zu.

»Was ist Ihre Theorie dazu?« fragte der Rechtsanwalt und beugte sich vor.

»Ich kann kaum glauben —«, begann der Domherr Parfitt und hielt inne.

Der Arzt sagte nichts. Er starrte unverwandt auf Raoul Letardeau.

»Die Kleider von ihrem Körper — und die Seele aus ihrem Leib ...«, wiederholte der Franzose leichthin. Er stand auf. »Ich sage Ihnen, Messieurs, die Geschichte von Felicie Bault ist die Geschichte von Annette Ravel. Sie kannten sie nicht, Gentlemen. Ich kannte sie. Sie liebte das Leben allzusehr ...«

Er hatte schon den Türgriff in der Hand — bereit, auszusteigen, als er sich noch einmal umdrehte und dem Domherrn Parfitt auf die Brust tippte.

»Monsieur le docteur dort drüben sagte vorhin, daß all das« — seine Hand legte sich auf den Magen des Domherrn, und der Domherr stöhnte — »nur eine Residenz ist. Sagen Sie, wenn Sie in Ihrem Haus einen Einbrecher vorfinden, was würden Sie tun? Ihn erschießen, oder etwa nicht?«

»Nein«, schrie der Domherr. »Nein, natürlich nicht! Ich meine — nicht in diesem Land.«

Doch die letzten Worte hatte er in die Luft gesprochen, die Tür des Abteils knallte zu.

Der Geistliche, der Rechtsanwalt und der Arzt waren allein. Die vierte Ecke im Abteil war frei.

Das rote Signal

»Nein, wie entsetzlich aufregend«, stöhnte die hübsche Mrs. Eversleigh, indem sie ihre großen, blauen Augen weit aufriß. »Man sagt doch immer, Frauen hätten einen sechsten Sinn. Glauben Sie, daß das wahr ist, Sir Alington?«

Der berühmte Psychiater lächelte höhnisch. Er empfand grenzenlose Verachtung für diesen dümmlichen hübschen Frauentyp, zu dem seine jetzige Tischdame gehörte. Alington West war *die* Autorität schlechthin, was Geisteskrankheiten betraf, und er war sich seiner Stellung und Wichtigkeit voll und ganz bewußt — ein leicht schwammiger Mann von fülliger Figur.

»Da wird eine Menge Blödsinn erzählt, ich weiß das, Mrs. Eversleigh. Was bedeutet überhaupt der Begriff ›sechster Sinn‹?«

»Ach, ihr Wissenschaftler seid immer so gründlich. Aber es ist doch ungewöhnlich, wie man manchmal Dinge weiß, einfach weiß, fühlt, ich meine — ganz unheimlich, wirklich. Claire weiß, was ich meine, nicht wahr, Claire?«

Mrs. Eversleigh machte einen Schmollmund und wandte sich mit leicht vorgebeugten Schultern ihrer Gastgeberin zu.

Claire Trent antwortete nicht gleich. Sie und ihr Mann hatten zum Abendessen eine kleine Gesellschaft eingeladen: Violet Eversleigh, Sir Alington West und dessen Neffen Dermot West, einen alten Freund von Jack Trent.

Jack Trent selbst war ein schwerer Mann mit gerötetem Gesicht. Er lächelte gutmütig, sein Lachen war angenehm träge. Er nahm den Faden der Unterhaltung wieder auf.

»Unsinn, Violet. Dein bester Freund kam bei einem Eisenbahnunglück ums Leben. Sofort fällt dir wieder ein, daß du Dienstag nacht von einer schwarzen Katze geträumt hast — wunderbar, du wußtest also während der ganzen Zeit, es würde etwas passieren.«

»O nein, Jack, jetzt wirfst du Vorahnung und Intuition durcheinander ... Sir Alington, sagen Sie es bitte. Sie müssen doch zugeben, daß es Vorahnungen tatsächlich gibt.«

»Bis zu einem gewissen Grad, vielleicht«, stimmte der Arzt vorsichtig zu. »Aber der Zufall spielt meist eine große Rolle, und dann tendiert man allzu leicht dazu, hinterher zu behaupten, man habe alles schon vorher gewußt. Das müssen wir dabei immer in Betracht ziehen.«

»Ich glaube nicht, daß es so etwas wie Vorahnungen gibt«, behauptete Claire Trent ziemlich unvermittelt, »oder Intuition oder einen sechsten Sinn oder irgend etwas, von dem wir so zungenfertig reden. Wir gehen durch das Leben wie ein Zug, der durch die Dunkelheit zu einem unbekannten Ziel rast.«

»Das ist kein besonders treffender Vergleich, Mrs. Trent«, sagte Dermot West, indem er den Kopf hob und zum erstenmal an der Diskussion teilnahm. Es lag ein sonderbarer Schimmer in seinen klaren grauen Augen, die seltsam hell aus dem dunkelgebräunten Gesicht blickten. »Sie haben die Signale vergessen, nicht wahr?«

»Rot für Gefahr — wie aufregend!« japste Violet Eversleigh.

Dermot wandte sich ihr ungeduldig zu.

»Genauso ist es doch: Gefahr voraus — rotes Signal. Paß auf!«

Trent warf ihm einen abschätzenden Blick zu.

»Du sprichst wie aus eigener Erfahrung, alter Junge.«

»So ist es — war es, meine ich.«

»Wieso? Ist dir etwas Derartiges passiert?«

»Ich kann euch ein Beispiel geben ... Damals in Mesopotamien — gleich nach dem Waffenstillstand ... Eines Abends betrat ich mit einem beunruhigenden Gefühl mein Zelt. Ich spürte Gefahr. Paß auf, dachte ich. Dabei hatte ich keine Ahnung, wovor ich mich hüten sollte. Ich machte im Lager eine Runde, unnötig aufgeregt, traf alle möglichen Vorsichtsmaßnahmen, um mich vor dem eventuellen Angriff eines Feindes zu schützen. Dann ging ich in mein Zelt zurück. Sobald ich es betreten hatte, überkam mich dasselbe beunruhigende Gefühl wieder, noch stärker als vorher. Gefahr! Schließlich nahm ich eine Decke mit ins Freie, rollte mich darin ein und schlief draußen.«

»Und?«

»Als ich am nächsten Morgen wieder in mein Zelt kam, war das erste, was ich sah, der Knauf eines großen Dolches, ungefähr einen halben Meter lang, der durch meine Matratze gestoßen worden war — genau an der Stelle, an der ich gelegen hätte. Ich fand bald heraus, daß es einer meiner arabischen Diener gewesen war. Sein Sohn war als Spion erschossen worden ... was sagst du dazu, Onkel Alington?

Für mich war das ein Beispiel für meine Bezeichnung ›rotes Signal‹.«

Der Spezialist lächelte besserwisserisch.

»Eine höchst interessante Geschichte, mein lieber Dermot.«

»Würdest du sie vorbehaltlos glauben?«

»Doch, doch. Ich zweifle nicht daran, daß du die Vorahnung einer Gefahr hattest. Es ist mehr der Ursprung der Vorahnung, den ich in Zweifel ziehe. Nach dem, was du erzähltest, drang dieses Gefühl von außerhalb auf dich ein. Wir neigen heute zu der Ansicht, daß fast alles von innen, aus unserem Unterbewußtsein entsteht.«

»Ja, ja, das gute alte Unterbewußtsein«, rief Jack Trent dazwischen. »Damit wird heutzutage alles erklärt.«

Sir Alington fuhr fort, ohne auf die Unterbrechung einzugehen.

»Ich nehme an, daß dieser Araber sich durch einen Blick oder seine Miene verraten hat. Dein bewußtes Ich hatte das nicht registriert oder erinnerte sich nicht daran, mit deinem Unterbewußtsein war das anders. Das Unterbewußtsein vergißt nichts. Wir glauben auch, daß dieses Unterbewußte folgern und ableiten kann, und zwar völlig unabhängig von unserem bewußten Willen. Dein Unterbewußtsein schloß also, daß man einen Versuch unternehmen würde, dich umzubringen; in diesem Falle setzte es sich erfolgreich durch, indem es das Angstgefühl in deine bewußte Erkenntnis zwang.«

»Das klingt sehr einleuchtend, wie ich zugeben muß«, sagte Dermot lächelnd.

»Aber längst nicht so aufregend«, zwitscherte Mrs. Eversleigh.

»Es ist auch möglich, daß du unbewußt den Haß des Mannes spürtest. Das, was man früher Telepathie nannte, existiert sicher, obwohl die Umstände, unter denen sie zustande kommt, oft falsch ausgelegt und mißverstanden werden.«

»Gibt es dafür noch andere Beispiele?« fragte Claire.

»O ja, leider nicht ganz so malerisch. Ich nehme an, auch das könnte unter die Überschrift ›Zufall‹ gesetzt werden.« Dermot machte eine kleine Pause. »Ich lehnte einmal eine Einladung in ein Landhaus ab, aus keinem anderen Grund als dem Aufleuchten meines roten Signals. Das Haus brannte in der Woche darauf ab. Übrigens, Onkel Alington, wo setzt in diesem Fall das Unterbewußtsein ein?«

»Ich fürchte, überhaupt nicht«, antwortete Sir Alington und lächelte.

»Aber bestimmt hast du dafür eine gute Erklärung. Komm, sag sie uns. Du brauchst wegen deines Verwandten nicht taktvoll zu sein.«

»Also gut, mein Neffe, ich habe dich bei dieser Geschichte stark im Verdacht, daß du die Einladung nur aus dem sehr gewöhnlichen Grund ablehntest, weil du sie nicht übermäßig gern annehmen wolltest, und daß du dir nach dem Feuer selbst eingeredet hast, du hättest vorher ein warnendes Gefühl vor einer Gefahr verspürt ... Dieser eingeredeten Überzeugung hast du dann blinden Glauben geschenkt.«

»Es ist hoffnungslos«, lachte Dermot. »Ich gebe mich geschlagen. Du gewinnst immer, Onkel.«

»Machen Sie sich nichts daraus, Mr. West«, rief Violet Eversleigh. »Ich glaube blind an Ihr rotes Signal. Sahen Sie es in Mesopotamien das letztemal?«

»Ja — bis —«

»Verzeihung?«

»Ach, nichts.«

Dermot saß schweigend da. Die Worte, die ihm fast noch aus dem Mund gerutscht wären, hießen: »— bis heute abend.« Sie waren ganz ungebeten bis zu seinen Lippen gekommen und wollten eine Empfindung ausdrücken, die er bis soeben noch nicht bewußt erkannt hatte. Doch plötzlich hatte er gewußt, daß diese Ahnung richtig war. Das rote Signal leuchtete in der Dunkelheit auf ... Gefahr! Akute Gefahr!

Aber warum? Welche begreifbare Gefahr konnte ihm drohen? Hier, im Hause seines Freundes? Niemals! Und doch, es gab eine Art von Gefahr. Er sah Claire Trent an — ihre Blässe, ihre Schlankheit, das vielsagende Hängenlassen ihres goldblonden Kopfes. Aber diese Gefahr bestand schon geraume Zeit. Jack Trent war sein bester Freund, noch mehr als das: Er war derjenige gewesen, der ihm in Flandern das Leben gerettet hatte und den man dafür zum Vizekonsul ernannt hatte. Jack war einer der Besten! Eine dumme Sache, daß er, Dermot, sich ausgerechnet in Jacks Frau verlieben mußte ... Dermot hatte bisher gedacht, er könnte es überwinden. Einmal mußte der Schmerz doch vorübergehen. Man mußte ihn aushungern können ... Sie durfte ja niemals etwas ahnen, und wenn sie es vermutete, durfte nicht die Gefahr entstehen, daß er sie berührte. Für ihn durfte sie nur eine Wunschgestalt, eine wunderschöne Statue, eine Göttin aus Gold und Elfenbein und blaßrosa Korallen sein — ein Spielzeug für einen König, aber keine wirkliche Frau ...

Claire! Allein ihr Name, nur in Gedanken erwähnt, tat ihm schon weh ... Er mußte das überwinden. Er hatte doch auch vorher Frauen gern gemocht ...

»Aber nicht so«, schrie es in ihm. »Nicht so!«

Nun ja, es hatte ihn gepackt. Es bestand aber keine Gefahr dabei — Leid, Herzenskummer, ja, jedoch keine Gefahr. Nicht die Gefahr für das rote Signal! Das mußte vor etwas anderem warnen ...

Er sah sich am Tisch um. Zum erstenmal kam ihm zum Bewußtsein, daß es eine recht ungewöhnliche Versammlung war. Sein Onkel zum Beispiel ging selten zum Essen aus und erst recht nicht zu inoffiziellen Anlässen wie einem solchen. Die Trents waren zwar alte Freunde von ihm, dennoch hätte er die Einladung nicht angenommen, wenn nicht ein besonderer Grund vorlag. Bis heute abend war Dermot noch nicht bewußt gewesen, daß er seinen Onkel eigentlich gar nicht wirklich kannte.

Es gab allerdings eine Erklärung für das Verhalten Sir Alingtons. Nach dem Abendessen wurde ein Medium erwartet, mit dem eine Sitzung abgehalten werden sollte. Sir Alington hatte erkennen lassen, an spiritistischen Sitzungen, wenn auch nicht übermäßig, interessiert zu sein. Ja, das war bestimmt die Entschuldigung dafür, daß sein Onkel seine Gewohnheit durchbrochen hatte.

Dieses Wort »Entschuldigung« drängte sich weiter in Dermots Gedanken. Eine Entschuldigung? Für die »Sitzung« etwa, um die Anwesenheit als Spezialist bei diesem Abendessen zu erklären? Eine Menge von Einzelheiten schossen Dermot durch den Kopf; Nebensächlichkeiten, die er bis jetzt gar nicht beachtet oder, wie sein Onkel gesagt hatte, die sein Bewußtsein bisher nicht registriert hatte.

Der große Arzt hatte Claire mehr als einmal recht merkwürdig angesehen. Er schien sie zu beobachten. Sie fühlte sich unbehaglich unter seiner Beobachtung. Sie machte leise schnippende Bewegungen mit den Fingern. Sie war nervös, hochgradig nervös. Konnte es sein — war es möglich, daß sie Angst hatte? Warum sollte sie Angst haben?

Mit einem Ruck zwang Dermot seine Aufmerksamkeit wieder der Unterhaltung zu. Mrs. Eversleigh hatte den großen Mann dazu gebracht, über sein eigenes Problem zu sprechen.

»Meine liebe Dame«, sagte er gerade, »was ist denn Wahnsinn? Ich kann Ihnen versichern, je mehr wir diese Krankheit erforschen, um so schwerer fällt es uns, sie beim Namen zu nennen. Bis zu einem gewissen Grade betrügen wir uns alle selbst. Wenn wir es so weit bringen, uns einzubilden, wir seien der Zar von Rußland, werden wir eingesperrt oder unter Bewachung gesetzt. Doch ist es ein weiter Weg bis zu diesem Punkt. An welchem klar bestimmbaren Punkt dieser Wegstrecke können wir einen Meilenstein aufstellen, auf dem steht, bis hierher ist Gesundheit, ab hier Wahnsinn? Wir können es nicht, Sie wissen es. Und noch etwas: Wenn ein Mann unter einer Einbildung leidet, aber imstande ist, das vor der Umwelt zu verheimlichen, dann werden wir aller Wahrscheinlichkeit nach diesen Mann von einem normalen nicht unterscheiden können. Die ungewöhnliche Schlauheit der Geisteskranken ist dabei ein überaus interessantes Problem.«

Sir Alington nippte genießerisch an seinem Wein und wandte sich wieder seiner Tischdame zu.

»Ich habe schon gehört, daß sie sehr schlau sind, ich meine diese Irren«, sagte Mrs. Eversleigh.

»O ja, und zwar auf bemerkenswerte Weise. Die Unterdrückung einer bestimmten Wahnvorstellung kann oft eine verhängnisvolle Wirkung haben. Alle Arten von Unterdrückung sind gefährlich, wie uns die Psychoanalyse lehrt. Der Mann, der ein harmloses exzentrisches Hobby hat, überschreitet selten seine Grenzen. Aber der Mann« — er hielt inne — »oder die Frau, die dem Anschein nach völlig normal sind, können in Wirklichkeit für die Allgemeinheit eine ständige Gefahrenquelle bedeuten.«

Sein Blick wanderte langsam zu Claire und wieder zurück. Er nippte noch einmal an seinem Glas Wein.

Eine entsetzliche Angst ergriff Dermot. War es das, was er meinte? Unmöglich! Und doch . . .

»Alles, was man selbst unterdrückt«, jammerte Mrs. Eversleigh. »Ich sehe ein, daß man sehr vorsichtig sein muß, wenn man jemandem seine eigene Persönlichkeit erklärt. Die Gefahr für andere wird gleich überbewertet.«

»Meine liebe Mrs. Eversleigh«, mahnte der Arzt nachsichtig, »Sie haben mich vollkommen mißverstanden. Die Ursache zu dem Unheil liegt in der physischen Beschaffenheit des Gehirns. Manchmal wird ihm von außen Schaden zugefügt, zum Beispiel durch einen Schlag, manchmal ist das Unheil — leider — auch vererbbar.«

»Vererbung ist eine traurige Sache«, flüsterte die hübsche Dame leise, »bei Schwindsucht und all dem.«

»Tuberkulose ist nicht vererbbar«, sagte Sir Alington trocken.

»Ach, was Sie nicht sagen. Ich dachte immer, gerade diese sei vererbbar. Wahnsinn ist doch auch vererbbar — wie schrecklich! Was sonst noch?«

»Gicht«, sagte Sir Alington lächelnd, »und Farbenblindheit. Letztere ist übrigens interessant. Sie wird nur auf männliche Nachkommen übertragen, auf weibliche latent. Es gibt viele farbenblinde Männer; um aber einer Frau Farbenblindheit zu übertragen, bedarf es eines farbenblinden Vaters und einer Mutter, in der diese Krankheit latent schlummert, eine Voraussetzung, die ziemlich selten eintritt. Das nennen wir geschlechtsbedingte Vererbung.«

»Und Wahnsinn vererbt sich nicht, oder doch?«

»Wahnsinn kann auf Frauen wie auf Männer gleichermaßen vererbt werden«, sagte der Arzt ernst.

Claire sprang plötzlich auf und stieß dabei ihren Stuhl so heftig zurück, daß er umkippte und polternd zu Boden fiel. Sie war blaß, das nervöse Schnippen ihrer Finger wurde sehr auffällig.

»Sie — Sie werden mich doch nicht allzu lange warten lassen«, bat sie. »Mrs. Thompson wird in ein paar Minuten hier sein.«

»Noch dieses Glas Portwein, dann komme ich zu Ihnen«, erklärte Sir Alington. »Ich kam ja schließlich hierher, um die Vorstellung dieser großartigen Mrs. Thompson zu erleben, nicht wahr? Nicht etwa, weil ich einen Anlaß brauchte!« Er verbeugte sich.

Claire lächelte ihm schwach und verstehend zu, dann ging sie aus dem Zimmer, ihre Hand auf Mrs. Eversleighs Schulter.

»Ich fürchte, ich habe ein wenig zu viel gefachsimpelt«, bemerkte der Arzt, als er sich gemütlich auf seinem Stuhl zurechtsetzte. »Verzeihen Sie mir, alter Freund.«

»Aber ich bitte Sie, das macht doch nichts«, sagte Trent.

Er sah überanstrengt und besorgt aus. Zum erstenmal fühlte sich Dermot in der Gegenwart seines Freundes als Außenstehender. Diese beiden Männer trennte ein Geheimnis, das sie niemals miteinander teilen würden. Es war zu phantastisch und unglaublich. Wie waren nur Sir Alingtons Gedankenkombinationen entstanden? Durch ein paar Blicke und die Nervosität einer Frau ...?

Sie tranken langsam ihre Gläser aus, dann gingen sie in den Wohnraum hinüber, wo gerade Mrs. Thompson angemeldet wurde.

Das Medium war eine dickliche, nicht mehr junge Frau, geschmacklos in schreiend bunten Samt gekleidet und mit einer lauten, gewöhnlichen Stimme.

»Ich hoffe, ich komme nicht zu spät, Mrs. Trent«, plauderte sie gutgelaunt. »Sie sagten doch neun Uhr, nicht wahr?«

»Sie sind pünktlich, Mrs. Thompson«, sagte Claire mit ihrer süßen, etwas heiseren Stimme. »Das ist unser kleiner Zirkel.«

Es wurde niemand vorgestellt; das schien offensichtlich so Brauch zu sein. Das Medium musterte alle eindringlich mit listigen Augen.

»Ich hoffe, daß wir ein paar gute Resultate erzielen«, bemerkte es lebhaft. »Ich kann Ihnen gar nicht sagen, wie sehr ich es hasse, wenn ich wieder gehe und der Kreis unbefriedigt ist. Das macht mich wahnsinnig. Aber ich weiß, daß Shiromako, meine japanische Kontrolle, heute abend stark ist und alles gutgeht. Ich habe mich noch nie so labil gefühlt wie heute. Ich habe sogar einen französischen Hasenbraten abgelehnt, den ich als Toast mit Käse überbacken so gern esse.«

Dermot hörte zu, halb belustigt, halb angewidert. Wie prosaisch das alles war! Vielleicht urteilte er aber auch vorschnell und töricht? Letzten Endes war ja alles natürlich ... Die Kräfte, die durch das Medium angerufen wurden, waren natürliche Kräfte, wenn sie auch unvollständig verstanden wurden. Ein großer Chirurg mochte am Abend vor einer schwierigen Operation wohl auch Verdauungsstörungen für die Zeit der Operation zu verhüten suchen. Warum nicht Mrs. Thompson?

Stühle wurden in einem Kreis arrangiert, die Lampen so aufgestellt, daß sie nach Belieben höher oder tiefer gezogen werden konnten. Es fiel Dermot auf, daß niemand Testfragen stellte. Nicht einmal Sir Alington erkundigte sich nach den Bedingungen der Sitzung. Er war aus einem anderen Grund hier. Der Abend mit Mrs. Thompson war für ihn nur ein Vorwand. Dermot erinnerte sich, daß Claires Mutter jenseits des Atlantiks gestorben war. Es war eine geheimnisvolle Geschichte gewesen . . . Eine Erbkrankheit . . .

Mit Gewalt zwang er sich, auf die Umgebung des Augenblicks zu achten. Jeder nahm Platz, das Licht wurde abgeschaltet — bis auf eine kleine rotbeschirmte Lampe auf einem abseits stehenden Tisch.

Eine Zeitlang hörte man nur die tiefen, gleichmäßigen Atemzüge des Mediums. Allmählich kam ihr Atem immer keuchender, angestrengter. Dann — mit einer Plötzlichkeit, die Dermot zusammenfahren ließ — hörte man aus der entfernten Ecke des Zimmers lautes Klopfen. Es wiederholte sich in einer anderen Ecke. Es folgte ein Anschwellen der klopfenden Schläge. Sie verklangen, und höhnisches Gelächter wurde hörbar. Dann wieder Schweigen, in das hinein man eine Stimme vernahm, die der von Mrs. Thompson sehr unähnlich war, eine hochgeschraubte, seltsam altmodisch verdrehte Stimme.

»Ich bin hier, Gentlemen«, schnarrte sie. »Hach, wer ruft mich? Was wollt ihr von mir?«

»Wer sind Sie? Shiromako?« stöhnte Mrs. Thompson.

»Hach, ich bin Shiromako. Laßt mich in Ruhe! Ich bin glücklich.«

Es folgten Einzelheiten aus Shiromakos Leben, alle flach und uninteressant. Dermot hatte sie schon öfter gehört . . . Vage Botschaften von angeblichen Verwandten, deren Beschreibung so allgemein gehalten war, daß sie auf jeden zutreffen konnte. Eine ältere Dame wäre gerade da und bespräche Grundsätze besonderer Art — einen der Anwesenden betreffend . . .

»Da ist jemand anderer«, verkündete Shiromako, »mit wichtiger Nachricht für einen der Herren.«

Es entstand eine Pause. Dann sprach eine andere Stimme, die ihre Bemerkungen mit einem bösen, dämonischen Gekicher einleitete.

»Ha, ha! Ha, ha, ha! Es ist besser, wenn Sie nicht nach Hause gehen. Befolgen Sie meinen Rat.«

»Zu wem sprechen Sie?« fragte Trent respektlos.

»Zu einem von Ihnen dreien. Ich würde nicht nach Hause gehen, wenn ich er wäre. Ich sehe Blut! Nicht viel — aber es genügt. Gehen Sie nicht nach Hause!« Die Stimme wurde schwächer. »Gehen Sie nicht nach Hause!« Sie erstarb vollends.

Dermot fühlte sein Blut gefrieren. Er war fest davon überzeugt, daß die Warnung ihm gegolten hatte. Heute nacht lauerte eine Gefahr auf ihn —

Man hörte tiefe Atemzüge des Mediums, dann Stöhnen. Die Frau kam langsam wieder zu sich. Das Licht wurde angeknipst, sie setzte sich aufrecht, ihre Augen blinzelten noch ein wenig.

»Ist alles gut gegangen, meine Liebe?«

»Ja, sehr gut — danke schön, Mrs. Thompson.«

»Shiromako?«

»Ja, auch andere.«

Mrs. Thompson gähnte.

»Ich bin fix und fertig, total erschöpft. Es nimmt mich immer arg mit. Ich bin aber froh, daß es ein Erfolg war. Ich hatte schon Angst, es könnte nicht klappen, und fürchtete, es könnte etwas Unangenehmes passieren. Ich hatte heute abend ein komisches Gefühl in diesem Raum.«

Sie sah zuerst über ihre linke, dann über ihre rechte Schulter nach hinten und schüttelte sich unbehaglich.

»Ich mag Ahnungen nicht«, murmelte sie. »Gab es bei einem von Ihnen kürzlich einen plötzlichen Todesfall?«

Alle verneinten.

»Nicht? Nein? Nun, wenn ich abergläubisch wäre, würde ich sagen, heute läge ein Tod in der Luft ... Vielleicht ist es bloße Einbildung — Unsinn ... Auf Wiedersehen, Mrs. Trent. Ich freue mich, daß Sie zufrieden sind.«

Mrs. Thompson verließ in ihrem knallfarbenen Samtkostüm das Zimmer.

»Hat es Sie interessiert, Sir Alington« fragte Claire, als sie zurückkam.

»Ein interessanter Abend, gnädige Frau. Haben Sie herzlichen Dank für die Einladung und lassen Sie mich Ihnen noch einen schönen Abend wünschen. Sie gehen doch noch zu einem Ball, nicht wahr?«

»Möchten Sie mit uns kommen?«

»Nein, nein. Ich habe es mir zur Gewohnheit gemacht, gegen halb zwölf im Bett zu liegen. Gute Nacht – gute Nacht, Mrs. Eversleigh. Ach, Dermot, mit dir möchte ich noch etwas besprechen. Kannst du mich heimbegleiten? Du kannst ja anschließend die anderen in den Grafton Galleries wieder treffen.«

»Selbstverständlich, Onkel. Ich komme später nach, Trent.«

Während der Fahrt in die Harley Street wechselten Onkel und Neffe nur wenige Worte. Sir Alington entschuldigte sich, weil er Dermot aus der Gesellschaft entführt hatte, und versicherte ihm, er werde ihn nur ein paar Minuten aufhalten.

»Soll ich den Wagen warten lassen, mein Junge?« fragte Sir Alington, als sie ausstiegen.

»Nicht nötig, Onkel. Ich nehme mir nachher ein Taxi.«

»Sehr gut. Es ist mir auch lieber, wenn Charlson nicht länger als nötig aufbleiben muß. Gute Nacht, Charlson!« Sie gingen zur Haustür. »Wo, zum Teufel, habe ich denn den Schlüssel hingesteckt?«

Der Wagen fuhr davon, während Sir Alington auf den Stufen stand und vergeblich seine Taschen nach dem Schlüssel durchsuchte.

»Ich muß ihn in den anderen Mantel gesteckt haben«, knurrte er gedehnt. »Läute mal, mein Junge, ja? Johnson ist bestimmt noch auf.«

Der unerschütterliche Johnson öffnete die Tür innerhalb von sechzig Sekunden.

»Ich muß meinen Schlüssel verlegt haben, Johnson«, erklärte Sir Alington. »Bringen Sie uns, bitte, zwei Whisky mit Soda in die Bibliothek.«

»Sehr wohl, Sir.«

Der Arzt betrat die Bibliothek und schaltete das Licht ein. Er bedeutete Dermot, die Tür hinter sich zu schließen.

»Ich werde dich nicht lange aufhalten, Dermot, aber ich muß dir noch etwas sagen. Vielleicht ist es nur eine Einbildung meinerseits, oder hegst du wirklich zärtliche Gefühle für die Frau von Jack Trent?«

Das Blut schoß Dermot ins Gesicht.

»Jack Trent ist mein bester Freund.«

»Entschuldige, aber das ist keine Antwort auf meine Frage. Es mag sein, daß dir meine Ansichten über Scheidung und Ähnliches puritanisch erscheinen, aber ich möchte dich daran erinnern, daß du mein einziger naher Verwandter und mein Erbe bist.«

»Von Scheidung ist gar keine Rede«, sagte Dermot ärgerlich.

»Gewiß nicht, und zwar aus einem Grund, den ich besser verstehe als du. Diesen Grund kann ich dir noch nicht erklären, aber ich möchte dich warnen. Claire Trent ist nichts für dich.«

Der junge Mann hielt dem Blick seines Onkels stand.

»Ich verstehe und erlaube mir, dir zu sagen — besser als du glaubst. Ich kenne wahrscheinlich den Grund, warum du heute abend zu dem Abendessen gegangen bist.«

»So?« Der Arzt war sichtlich betroffen. »Wieso konntest du das wissen?«

»Du kannst es Vermutung nennen, wenn du willst. Ich gehe wohl nicht fehl in der Annahme, daß du aus beruflichen Gründen dort warst.«

Sir Alington ging im Raum auf und ab. »Du hast recht, Dermot. Das konnte ich dir natürlich nicht sagen, obwohl es bald, fürchte ich, allgemein bekannt sein wird.«

Einen Moment lang setzte Dermots Herzschlag aus.

»Du meinst — du bist dir schon ganz sicher?«

»Ja, da ist eine ungesunde Erbmasse in der Familie, von seiten der Mutter. Ein tragischer Fall — ein sehr trauriger Fall.«

»Ich kann es nicht glauben.«

»Aber es ist so. Für einen Laien gibt es wenige oder gar keine Anzeichen, die offenkundig sind.«

»Und für den Experten?«

»Ist die Krankheit kurz vor dem Ausbruch. In so einem Fall muß der Patient so schnell wie möglich in Zwangshaft gesetzt werden.«

»Mein Gott«, stöhnte Dermot. »Aber du kannst doch niemanden wegen nichts und wieder nichts einsperren lassen.«

»Mein lieber Dermot! Man hält nur solche Leute fest, die in Freiheit eine Gefahr für die Allgemeinheit bedeuten.«

»Gefahr?«

»Eine ernste Gefahr, aller Wahrscheinlichkeit nach eine Art Selbstmordwahn. Im Fall der Mutter war es das.«

Dermot wandte sich stöhnend ab, vergrub das Gesicht in den Händen. Claire — weiße und goldene Claire!

»Unter diesen Umständen«, fuhr der Arzt ruhig fort, »hielt ich es für meine Pflicht, dich zu warnen.«

»Claire«, murmelte Dermot. »Meine arme Claire.«

»Ja, wir müssen sie alle bedauern und bemitleiden.«

Plötzlich hob Dermot den Kopf. »Ich glaube es nicht.«

»Was?«

»Ich sagte, ich glaube es nicht. Die Ärzte können irren. Das weiß jeder. Sie sind immer begierig, ihren eigenen Spezialfall herauszufinden.«

»Mein lieber Dermot!« schrie Sir Alington wütend.

»Ich sage trotzdem, ich glaube es nicht. Selbst wenn es so wäre, ist es mir gleich. Ich liebe Claire. Wenn sie mit mir kommen will, werde ich sie mit mir nehmen, weit weg — ganz weit weg, wo keine Ärzte sie einsperren können. Ich werde sie beschützen, ich werde für sie sorgen, sie beschützen mit meiner Liebe.«

»Das wirst du nicht tun. Bist du wahnsinnig?«

Dermot lachte bitter.

»Du würdest auch das behaupten.«

»Versteh doch, Dermot.« Sir Alingtons Gesicht war rot vor unterdrückter Wut. »Wenn du das tust, wenn du so etwas Abscheuliches tust — dann ist es das Ende. Dann kann ich dir die Praxis nicht vermachen und muß ein neues Testament schreiben, in dem ich alles, was ich besitze, verschiedenen Krankenhäusern vererbe.«

»Mach, was du willst, mit deinem verdammten Geld«, schimpfte Dermot leise. »Ich werde dafür die Frau haben, die ich liebe.«

»Eine Frau, die —«

»Sag ein einziges Wort gegen sie, bei Gott, ich bringe dich um!« schrie Dermot.

Das leise Klirren von Gläsern ließ beide herumfahren. In der Hitze des Streites war Johnson ungehört mit einem Tablett in die Bibliothek gekommen. Sein Gesicht war unerforschlich wie das eines guten Dieners, und Dermot fragte sich, wieviel er wohl mitgehört hatte.

»Das ist alles, Johnson«, sagte Sir Alington höflich. »Sie können zu Bett gehen.«

»Danke, Sir. Gute Nacht, Sir.«

Johnson zog sich zurück. Die beiden Männer sahen sich an. Die Unterbrechung hatte den Sturm beruhigt.

»Onkel«, sagte Dermot, »ich hätte nicht so zu dir sprechen dürfen. Ich sehe ein, daß du von deinem Standpunkt aus recht hast. Aber ich liebe Claire schon lange. Nur die Tatsache, daß Jack Trent mein bester Freund ist, hat mich bis jetzt gehindert, Claire das zu sagen. Aber unter diesen Umständen zählt dies nicht länger. Der Gedanke, daß die momentane Lage mich abschrecken könnte, ist absurd . . . Ich glaube, wir haben beide gesagt, was zu sagen war. Gute Nacht!«

»Dermot —«

»Es ist nicht gut, wenn wir noch weiterstreiten. Gute Nacht, Onkel Alington. Es tut mir leid, aber es ist so.«

Dermot ging schnell hinaus und schloß die Tür hinter sich. Die Vorhalle war dunkel. Er durchschritt sie, öffnete die Haustür und trat auf die Straße, indem er die Haustür hinter sich zuzog.

Ein Taxi hatte soeben ein Haus weiter einen Fahrgast abgesetzt. Dermot hielt es an und fuhr zu den Grafton Galleries.

In der Tür zum Ballsaal blieb er eine Minute lang verwirrt stehen. Sein Kopf schmerzte. Die heisere Jazzmusik, die lächelnden Frauen — es war, als ob er eine andere Welt betreten hätte.

Hatte er geträumt? Unmöglich, daß die laute Unterhaltung mit seinem Onkel wirklich stattgefunden haben sollte.

Da schwebte Claire vorbei. Wie eine Lilie sah sie in ihrem weißsilbernen Kleid aus, das wie eine zweite Haut ihre Schlankheit umspannte. Sie lächelte ihm zu, ihr Gesicht war ruhig und heiter . . . Bestimmt war alles nur ein Traum.

Der Tanz war zu Ende. Jetzt stand sie nahe bei ihm und lächelte ihn an. Wie im Traum bat er um den nächsten Tanz. Jetzt war sie in seinen Armen. Die heisere Musik hatte wieder begonnen. Er spürte, wie sie ein wenig matter wurde.

»Müde? Möchtest du dich ausruhen?«

»Wenn es dir nichts ausmacht. Wir können etwas abseits gehen, wo wir miteinander sprechen können. Ich muß dir etwas sagen.«

Kein Traum! Mit einem Schlag kam er auf die Erde zurück. Hatte er jemals ihr Gesicht ruhig und heiter gesehen? Es trug den Ausdruck von Gehetztsein, Angst, Entsetzen. Wieviel mochte sie wissen? Sie fanden eine ruhige Ecke und setzten sich nebeneinander.

»Nun«, sagte er, indem er eine innere Leichtigkeit vor-
täuschte, die nicht echt war, »du wolltest mir etwas
sagen.«

»Ja.« Sie hielt die Augen niedergeschlagen, spielte nervös
an den Spitzen ihres Kleides. »Es ist schwierig — es ist so
schwierig zu sagen.«

»Sag es mir, Claire.«

»Sieh, es ist — ich möchte, daß du, daß du — eine Zeitlang
von hier fortgehst.«

Er war überrascht. Alles hatte er erwartet, nur das nicht.

»Du möchtest, daß ich fortgehe. Warum?«

»Am besten wäre es wohl, seien wir doch ehrlich, ja? Ich —
ich weiß, du bist ein Gentleman und mein Freund. Ich möchte,
daß du fortgehst, weil du mir sehr lieb geworden bist.«

»Claire!« Ihre Worte hatten ihn stumm gemacht, ihm die
Zunge gebunden.

»Bitte, nimm nicht an, daß ich so eingebildet bin, zu glauben, daß du — daß du dich jemals in mich verlieben könntest.
Es ist nur — ich bin nicht glücklich und — ach, ich möchte, du
führest fort.«

»Claire, weißt du nicht, daß ich mir Sorgen gemacht habe,
schreckliche Sorgen — seitdem ich dich kenne?«

Sie sah mit erstaunten Augen zu ihm auf.

»Du hast dir Sorgen gemacht? Schon so lange?«

»Von Anfang an.«

»Oh!« entfuhr es ihr. »Warum hast du mir das nie gesagt?
Warum sagst du es erst jetzt, wo es zu spät ist? Nein, ich bin
verrückt — ich weiß nicht, was ich sage. Ich hätte niemals zu
dir kommen können.«

»Claire, was meinst du mit ›jetzt erst, wo es zu spät ist‹?
Ist es — ist es wegen meines Onkels? Was er weiß, was er
denkt?«

Sie nickte stumm, Tränen rollten über ihr Gesicht.

»Hör zu, Claire, du darfst das nicht glauben. Du darfst das
nicht denken. Du sollst mit mir kommen. Wir werden auf eine
Südseeinsel fahren, die wie eine grüne Perle ist. Dort sollst
du glücklich sein, und ich werde für dich sorgen — dich für
immer vor allem beschützen.«

Er umschlang sie mit den Armen. Er zog sie an sich, und
fühlte, wie sie bei seiner Berührung zitterte. Dann plötzlich
entwand sie sich ihm.

»O nein, bitte, tu das nicht. Kannst du denn nicht sehen? Jetzt kann ich das nicht mehr. Es wäre häßlich — gemein, so gemein. Immer wollte ich gut sein, aber jetzt — es wäre sehr häßlich.«

Er zögerte, durch ihre Worte gehemmt. Sie sah ihn flehentlich an.

»Bitte«, flüsterte sie. »Ich möchte gut sein —«

Ohne ein Wort stand Dermot auf und verließ sie. Eine Weile war er gerührt und betroffen von ihren Worten. Er hätte nicht widersprechen können. Er ging zur Garderobe, um Mantel und Hut zu holen, dabei lief er Trent in die Arme.

»Hallo, Dermot, gehst du schon?«

»Ja, ich bin heute nicht in Stimmung, zu tanzen.«

»Es ist ein verfehlter Abend«, sagte Trent düster. »Aber du hast glücklicherweise nicht meine Sorgen.«

Dermot verspürte eine plötzliche Angst, Trent könnte den Wunsch haben, sich ihm anzuvertrauen. Nicht das — bloß das nicht!

»Also, bis bald«, sagte Dermot hastig. »Ich gehe nach Hause.«

»Denkst du nicht mehr an die Warnung der Geister?«

»Das Risiko nehme ich auf mich. Gute Nacht, Jack.«

Dermots Wohnung war nicht weit entfernt. Er ging zu Fuß, da er die kühle Nachtluft einatmen und seinen fiebrigen Kopf beruhigen wollte.

Er schloß mit seinem Schlüssel auf und knipste das Licht im Schlafzimmer an.

Und plötzlich, zum zweiten Male an diesem Abend, überkam ihn das Gefühl, das er als ›rotes Signal‹ bezeichnete.

Es war so überwältigend, daß es einen Moment lang sogar Claire aus seinen Gedanken verdrängte.

Gefahr! Er selbst war in Gefahr. In seinem eigenen Zimmer war er in Gefahr!

Er versuchte vergeblich, sich über seine Angst lustig zu machen. Insgeheim stand er aber nicht mit ganzer Kraft hinter diesem Versuch. Jedenfalls hatte das rote Signal ihn rechtzeitig alarmiert. Er hätte ein Unglück noch verhüten können ... Über seinen eigenen Aberglauben lächelnd, durchsuchte er vorsichtig seine Wohnung. Es war ja möglich, daß das Übel irgendwo versteckt war. Aber er fand nichts. Sein

Diener Milson war fortgegangen — die Wohnung war völlig leer.

Dermot ging ins Schlafzimmer zurück und zog sich langsam aus, indem er sich selbst im Spiegel finstere Blicke zuwarf. Das Gefühl der Gefahr blieb gegenwärtig wie zuvor. Er ging zu einer Schublade, um ein Taschentuch herauszunehmen — und stand plötzlich stocksteif. Ein unbekannter Klumpen lag in der Mitte der Schublade, etwas Hartes. Schnell und nervös rissen seine Finger die Taschentücher, die darübergelegt waren, fort und zogen hervor, was sie verborgen hatten: einen Revolver.

Mit höchstem Erstaunen untersuchte Dermot ihn neugierig. Es war eine fremde Waffe, ein Schuß mußte vor ganz kurzer Zeit daraus abgegeben worden sein! Der Lauf roch noch. Darüber hinaus konnte sich Dermot kein rechtes Bild von der Sache zusammenreimen. Irgendwer mußte den Revolver an diesem Abend in die Schublade gelegt haben. Er war noch nicht dagewesen, als sich Dermot vor dem Abendessen umgezogen hatte — das wußte er genau.

Gerade wollte er den Revolver in die Schublade zurücklegen, als die Klingel laut zu schrillen begann, wieder und wieder. Das Klingeln klang laut in die Stille der leeren Wohnung.

Wer konnte zu dieser Stunde kommen? Dermot wußte nur eine Antwort auf diese Frage, die sich ihm instinktiv und beharrlich aufdrängte. Gefahr — Gefahr — Gefahr ... Das rote Signal!

Von seinem Instinkt geleitet, für den er sich keine Rechenschaft ablegen konnte, knipste Dermot das Licht aus, schlüpfte in den Mantel, der über seinem Sessel lag, und öffnete die Wohnungstür.

Draußen standen zwei Männer. Dermot erfaßte, daß einer von ihnen eine blaue Uniform trug; ein Polizist!

»Mr. West?« fragte der andere der beiden.

Es kam Dermot vor, als ob sein Leben von seiner Antwort abhinge. Es vergingen zwei Sekunden, bevor er genauso tonlos antwortete wie der Mann, der ihn gefragt hatte.

»Mr. West ist noch nicht gekommen. Was wollen Sie zu dieser Zeit von ihm?«

»Noch nicht gekommen, aha. Dann wird es das beste sein, wenn wir hier auf ihn warten.«

»Nein, das können Sie nicht.«

»Na, na, junger Mann. Ich bin Inspektor Verall von Scotland Yard, und ich habe einen Haftbefehl für Ihren Herrn. Hier — lesen Sie, wenn Sie wollen.«

Dermot starrte auf das Papier, das man ihm hinhielt. Er tat wenigstens so, als ob er läse, während er tonlos fragte: »Warum denn? Was hat er getan?«

»Mord. Er hat Sir Alington West in der Harley Street ermordet.«

In Dermots Kopf drehte es sich. Dermot trat unwillkürlich vor seinen Besuchern zurück. Er ging ins Wohnzimmer und knipste das Licht an. Der Inspektor folgte ihm.

»Durchsuchen Sie die Räume!« befahl er dem uniformierten Mann. Dann wandte er sich Dermot zu.

»Sie bleiben hier, junger Mann! Es gibt kein Entwischen, um Ihren Herrn zu warnen. Wie ist Ihr Name?«

»Milson, Sir.«

»Wann erwarten Sie Ihren Herrn zurück, Milson?«

»Ich weiß es nicht, Sir. Ich glaube, er ist zum Tanzen gegangen, in die Grafton Galleries.«

»Dort ist er vor weniger als einer Stunde weggegangen. Sind Sie sicher, daß er noch nicht zurückkam?«

»Ja. Ich müßte ihn sonst gehört haben.«

In diesem Augenblick kam der andere Mann aus dem angrenzenden Zimmer. In seiner Hand hielt er den Revolver. Er zeigte ihn mit einigem Erstaunen dem Inspektor. Ein Ausdruck von Zufriedenheit glitt über dessen Gesicht.

»Da ist ja das Beweisstück«, bemerkte er. »West muß also dagewesen sein, ohne daß Sie es hörten. Jetzt hängt er an der Angel. Ich gehe jetzt. Cawley, Sie bleiben hier, für den Fall, daß er zurückkommt — und passen Sie gut auf den Burschen hier auf! Er dürfte mehr über seinen Herrn wissen, als er zugibt.«

Der Inspektor jagte davon. Dermot bemühte sich, von Cawley die Einzelheiten der Tat zu erfahren. Cawley zeigte sich auch bereit zum Reden.

»Ein sauberer Fall«, geruhte er zu erklären. »Der Mord wurde sofort entdeckt. Johnson, der Hausdiener, war gerade zu Bett gegangen, als er meinte, einen Schuß gehört zu haben. Er ging hinunter und fand Sir Alington — tot, genau ins Herz geschossen. Er rief uns an. Wir waren in wenigen Minuten da.«

»Wieso ist das ein sauberer Fall?« wollte Dermot wissen.

»Der junge West kam am Abend mit seinem Onkel nach Hause, und Johnson hörte sie streiten, als er ihnen etwas zu trinken brachte. Der alte Knabe drohte, sein Testament zu ändern, und Ihr Herr sagte daraufhin etwas von ›erschießen‹ zu ihm. Nicht viel später wurde der Schuß gehört. Wenn das kein sauberer Fall sein soll —«

Wirklich, klar genug. Dermots Mut sank vollends, als er den überwältigenden Beweis gegen sich hörte. Und keine Fluchtmöglichkeit! Er nahm all seinen Verstand zusammen und dachte nach. Geistesgegenwärtig schlug er vor, einen Tee zu kochen. Cawley ging auf den Vorschlag ein. Er hatte die Wohnung durchsucht und wußte, daß es keinen zweiten Ausgang gab.

Dermot erhielt die Erlaubnis, in die Küche zu gehen. Er setzte mechanisch den Kessel auf und klapperte mit Tassen und Untertassen herum. Dann stahl er sich vorsichtig zum Fenster und öffnete es. Die Wohnung lag in der zweiten Etage. Von dem Fenster führte ein kleiner Aufzug hinunter, an dem die Kaufleute ihre Waren hochzogen.

Blitzschnell schwang sich Dermot aus dem Fenster und ließ sich an dem Drahtseil hinuntergleiten. Es schnitt in seine Hände, daß sie bluteten, doch verzweifelt hielt sich Dermot fest.

Ein paar Minuten später floh er über den Hinterhof des Wohnblocks. Als er um die Ecke bog, prallte er auf eine Gestalt, die an der Mauer lehnte. Zu seiner größten Überraschung erkannte er Jack Trent.

»Mein Gott, Dermot! Schnell, komm, ich warte schon auf dich!« flüsterte er.

Er faßte Dermot am Arm und zog ihn in eine Seitenstraße, von dort in eine andere. Ein leeres Taxi kam in Sicht; Trent hielt es an, und sie sprangen hinein. Trent gab dem Fahrer seine Adresse an.

»Das ist im Augenblick der sicherste Ort. Da können wir in Ruhe überlegen, wie wir diese Idioten von deiner Spur ablenken. Ich wollte zu dir, um dich vor der Polizei zu warnen, aber es war schon zu spät.«

»Jack, du glaubst doch nicht —«

»Natürlich nicht, alter Bursche, nicht eine Minute lang. Ich kenne dich viel zu gut. Nichtsdestoweniger ist es für dich eine heikle Sache. Sie kamen zu mir und fragten, wann du die Grafton Galleries aufgesucht hättest, wann du sie wieder verlassen hättest und so weiter. Dermot, wer könnte bloß den alten Mann umgelegt haben?«

»Keine Ahnung. Der es tat, hat jedenfalls den Revolver in meine Schublade gelegt, vermute ich. Er muß mich genau beobachtet haben.«

»Diese verdammte Sitzung! ›Gehen Sie nicht nach Hause!‹ Damit war also der alte West gemeint. Er ging heim und wurde erschossen.«

»Das kann auch auf mich angewendet werden«, sagte Dermot. »Ich ging nach Hause und fand einen fremden Revolver und einen Polizeiinspektor.«

»Hoffentlich trifft es nicht noch auf mich zu«, befürchtete Trent. »So, wir sind da.«

Er bezahlte den Taxichauffeur, schloß die Tür und führte Dermot eine dunkle Treppe zu einem kleinen Separatzimmer hinauf, einem kleinen Raum im ersten Stock.

Er hielt die Tür auf, und Dermot trat ein. Trent knipste das Licht an.

»Hier bist du fürs erste sicher«, bemerkte er. »Jetzt stecken wir einmal unsere Köpfe zusammen und beraten, was als nächstes zu tun ist.«

»Man hat mich zum Narren gehalten«, sagte Dermot plötzlich. »Ich hätte eher dahinterkommen müssen. Jetzt erkenne ich alles klarer. Die ganze Sache ist ein Komplott. Was, zum Teufel, gibt es da zu lachen?«

Trent lehnte in einem Sessel und schüttelte sich vor Lachen. Dieses Lachen hatte etwas Beängstigendes. Der ganze Mann hatte plötzlich etwas Furchterregendes an sich. In seinen Augen flackerte es unruhig.

»Ein verdammt klug ausgedachtes Komplott«, japste Trent. »Dermot, mein Junge, du bist aber auch wie geschaffen dafür.«

Er zog das Telefon zu sich heran.

»Was machst du jetzt?« fragte Dermot.

»Ich rufe Scotland Yard an. Ich sage ihnen, ihre Vögelchen wären hier, sicher hinter Schloß und Riegel. Ja, ich habe die Tür hinter mir abgeschlossen, als ich hereinkam. Der Schlüssel ist in meiner Tasche. Du brauchst nicht zu der anderen Tür hinzusehen. Die führt in Claires Zimmer, und sie schließt immer ab. Sie hat nämlich Angst vor mir, weißt du? Sie hat schon lange Angst vor mir. Sie weiß jedesmal, wenn ich an das Messer denke — an ein langes, scharfes Messer … Nein, das weißt du natürlich nicht —«

Dermot wollte sich auf ihn stürzen, aber der andere riß einen alten Revolver hervor.

»Das ist der zweite davon«, kicherte Trent. »Den ersten legte ich in deine Schublade, nachdem ich den alten West damit erschossen hatte. Was siehst du über mich hinweg zur Tür? Diese Tür? Das hat keinen Zweck. Selbst wenn Claire sie öffnete, vielleicht würde sie sie für dich öffnen, würde ich dich niederschießen, ehe du hindurchgehen könntest. Nicht ins Herz, nicht, um dich zu töten. Ich würde dich nur ins Bein schießen, damit du nicht fortkönntest. Ich bin ein sehr guter Schütze, das weißt du ja. Ich habe dir einmal das Leben gerettet, ich Vollidiot. Nein, nein, ich möchte, daß du aufgehängt wirst. Für dich brauche ich das Messer nicht, sondern für Claire — die hübsche Claire, die so weiß und sanft ist. Der alte West ahnte das. Deswegen war er heute abend hier. Er wollte sehen, ob ich wahnsinnig bin oder nicht. Er wollte mich hinter Schloß und Riegel bringen, damit ich Claire nichts mit dem Messer antun konnte. Ich war sehr klug. Ich nahm seinen Hausschlüssel und deinen auch. Ich verließ den Ballsaal, kaum daß ich angekommen war. Ich sah dich aus seinem Haus kommen und schlüpfte hinein. Ich erschoß ihn und lief sofort wieder weg. Dann ging ich in deine Wohnung und legte den Revolver in die Schublade. Ich war wieder in den Grafton Galleries, fast zur gleichen Zeit wie du. Und ich steckte den Hausschlüssel wieder in deine Manteltasche, als du mir ›auf Wiedersehen‹ sagtest. Es macht mir nichts aus, dir alles zu erzählen. Es hört niemand, nur du. Denn bevor du aufgehängt wirst, möchte ich, daß du weißt, wer den Mord beging … Es gibt für dich keinen Ausweg. Deswegen mußte ich so lachen … Mein Gott, das ist aber wirklich zum Lachen! Worüber denkst du nach? Wohin, zum Teufel, starrst du dauernd?«

»Ich denke daran, was du vorhin gesagt hast. Die Warnung galt doch für dich. Du hättest besser daran getan, Trent, nicht nach Hause zu gehen.«

»Wie meinst du das?«

»Sieh dich einmal um!«

Trent fuhr herum. In der Tür des Verbindungszimmers standen Claire — und Inspektor Verall.

Trent war schnell. Sein Schuß ging los — und fand sein Ziel. Trent fiel vornüber auf den Tisch. Der Inspektor sprang an seine Seite, während Dermot wie im Traum Claire anstarrte.

Durch seinen Kopf schossen lauter unzusammenhängende Gedanken... sein Onkel... ihr Streit... das entsetzliche Mißverständnis... die Scheidungsgesetze in England, die Claire niemals von einem geisteskranken Ehemann freigesprochen hätten... »Wir müssen sie alle bedauern« ... Das Komplott zwischen ihr und Sir Alington, das Trent mit Klugheit durchschaut hatte... und jetzt —

Der Inspektor richtete sich auf.

»Tot«, knurrte er ärgerlich.

»Ja«, hörte sich Dermot sagen, »er war immer ein guter Schütze.«

»Und vor allen Dingen keinen Ärger, keine Aufregung«, sagte Dr. Meynell in dem unverbindlichen Plauderton der Ärzte.

Mrs. Harter wurde bei diesen wohlgemeinten, aber inhaltlosen Worten keineswegs zuversichtlicher, eher skeptischer.

»Sie haben eine kleine Herzschwäche«, fuhr der Arzt beiläufig fort, »aber es ist nichts Ernstes, seien Sie unbesorgt. Allerdings«, fügte er hinzu, »dürfte es dennoch das beste sein, wenn Sie einen Lift einbauen ließen. Wie denken Sie darüber?«

Mrs. Harter machte ein bekümmertes Gesicht, sie dachte an die Kosten. Dr. Meynell hingegen sah mit sich selbst zufrieden aus. Er behandelte lieber reiche als arme Patienten, weil er bei ersteren seine lebhafte Phantasie walten lassen konnte. Außerdem wußte er, daß er angesehen war, wenn er für ihre Leiden Kostspieliges verschrieb.

»Ja, einen Lift«, wiederholte Dr. Meynell und versuchte, sich etwas noch Teureres zu überlegen — doch ihm fiel nichts weiter ein. »Dann wollen wir alle unnötigen Anstrengungen vermeiden. Bei schönem Wetter ruhig etwas an die frische Luft gehen, aber keine Gewalttouren! Und vor allen Dingen«, setzte er fröhlich hinzu, »viel geistige Zerstreuung — nur nicht dauernd ans Herz denken.«

Dem Neffen der alten Dame, Charles Ridgeway, erklärte der Arzt etwas mehr.

»Verstehen Sie mich nicht falsch«, sagte er. »Ihre Tante kann noch Jahre leben, wahrscheinlich tut sie das auch. Aber eine Überanstrengung oder ein Schock können eine fatale Wirkung haben.« Er schnalzte mit den Fingern. »Sie muß ein ruhiges Leben führen. Keinerlei Aufregung! Keine Anstrengung. Sie soll möglichst nicht anfangen zu grübeln und nachzudenken. Sie muß heiter bleiben und möglichst viel Zerstreuung haben.«

»Zerstreuung«, sagte Charles Ridgeway geistesabwesend.

Er war ein junger Mann mit eigenen Gedanken. Er glaubte auch, daß man seine privaten Absichten fördern müsse, wo immer möglich.

Am Abend schlug er seiner Tante den Erwerb eines Radioapparates vor.

Mrs. Harter, die bereits durch den Gedanken an den Lift-einbau ernstlich aufgebracht war, zeigte sich zerstreut und abgeneigt. Sie war altmodisch und hatte sich von jeher gegen die Anschaffung eines Radios gesträubt.

»Du weißt, daß ich dieses Zeug nicht mag«, sagte Mrs. Harter kläglich. »Diese Wellen, weißt du — die elektrischen Wellen ... Sie haben eine Wirkung auf mich.«

Überlegen, doch freundlich, setzte Charles ihr auseinander, wie rückständig sie sei. Er sprach geduldig, schmeichelte ihr und begann sie langsam zu überzeugen.

Mrs. Harter, deren Kenntnisse von diesem »Zeug« völlig unzureichend waren, hielt zunächst dennoch an ihrer Meinung fest. Sie blieb weiterhin skeptisch und zeigte sich wenig begeistert.

»Diese Elektrizität«, murmelte sie furchtsam. »Charles, du kannst sagen, was du willst, auf manche Leute hat sie eine unangenehme Wirkung. Ich zum Beispiel habe vor einem Gewitter stets heftige Kopfschmerzen. Ich weiß das.«

Sie nickte triumphierend. Charles war ein geduldiger junger Mann. Er war auch beharrlich.

»Meine liebe Tante Mary«, sagte er, »ich werde dir das Ganze noch mal genau erklären.«

Auf diesem Gebiet kannte er sich einigermaßen aus. Er lieferte eine kleine Vorlesung über das Thema und redete sich immer mehr in Begeisterung, indem er von Hochfrequenzen, Kondensatoren, Verstärkern, Antennen und Transistoren und so weiter sprach ...

Mrs. Harter ertrank in einem Meer von Worten, widerstandslos ergab sie sich.

»Na schön, Charles«, murmelte sie, »wenn du wirklich meinst ...«

»Meine liebe Tante Mary«, sagte Charles begeistert. »Das ist genau das Richtige für dich, damit du dich nicht langweilst oder gar den Kopf hängen läßt.«

Der von Dr. Meynell verschriebene Lift wurde kurze Zeit danach eingebaut und hätte fast den Tod für Mrs. Harter bedeutet, denn wie viele alte Damen hegte sie einen tiefen Widerwillen gegen fremde Männer in ihrem Haus. Sie verdächtigte alle samt und sonders, es auf ihr altes Silber abgesehen zu haben.

Nach dem Lift wurde der teuerste Radioapparat angeschafft. Mrs. Harter stellte ihn allerdings nicht an. Charles mußte seine ganze Beredsamkeit aufwenden, um die Tante damit zu versöhnen. Er drehte an den Knöpfen und hielt erneut einen längeren Vortrag.

Mrs. Harter saß in ihrem hohen Lehnsessel, geduldig und höflich, doch in der festen Überzeugung, daß dieses neue Gerät reiner Unsinn sei.

»Hörst du, Tante Mary – das ist Berlin! Ein wunderbarer Empfang . . .«

Mrs. Harter lauschte lächelnd.

Charles drehte weiter.

»London«, sagte er jetzt. Musik erklang.

»Ach, wirklich?« fragte Mrs. Harter ein wenig interessiert.

Charles schaltete einen anderen Wellenbereich ein, und ein unirdisches Geheul schallte durch den Raum.

»Jetzt scheinen wir in einen Hundezwinger geraten zu sein«, meinte Mrs. Harter, die sich bis ins hohe Alter eine gewisse Portion Humor bewahrt hatte.

Charles lachte. »Das macht Spaß, nicht wahr, Tante Mary? Das war lustig!«

Mrs. Harter konnte nicht umhin, über ihn zu lächeln. Sie mochte ihn recht gern. Einige Jahre lang hatte eine Nichte, Miriam Harter, mit ihr zusammengelebt. Mrs. Harter hatte die Absicht gehabt, das Mädchen als Erbin einzusetzen, aber Miriam hatte sie enttäuscht. Sie war ungeduldig gewesen und hatte sich allzu deutlich in der Gesellschaft ihrer Tante gelangweilt. Ständig war sie, wie die Tante es nannte, »bummeln« gegangen. Schließlich hatte sie mit einem jungen Mann angebandelt, den ihre Tante mißbilligte. Miriam war daraufhin zu ihrer Mutter zurückgeschickt worden – mit einem kurzen Schreiben, ganz so, als sei sie Ware gewesen, die man zur Ansicht gehabt hatte. Später hatte Miriam den jungen Mann sogar geheiratet, und Mrs. Harter hatte ihr ein paar Taschentücher geschickt, dann noch mal ein Spitzendeckchen zu Weihnachten.

Nachdem sich die Nichte als Enttäuschung herausgestellt hatte, war Mrs. Harters Aufmerksamkeit auf den Neffen gefallen. Ja, Charles hatte von Anfang an gut eingeschlagen. Er behandelte seine Tante ehrerbietig, er hörte mit scheinbar intensivem Interesse den Erinnerungen aus ihrer Jugend zu.

Ein großer Unterschied zu Miriam, die sich nicht nur gelangweilt, sondern das auch unverblümt gezeigt hatte. Charles war zudem niemals langweilig, immer gutgelaunt und fröhlich. Täglich ließ er seine Tante viele Male wissen, daß sie eine wunderbare alte Dame sei.

Mit ihrer neuen Entdeckung höchst zufrieden, hatte Mrs. Harter ihrem Notar neue Direktiven erteilt, wie ihr Testament abgeändert werden sollte. Dies war geschehen; das Testament war abgeändert worden, sie hatte es geprüft und unterzeichnet.

Und jetzt, sogar im Falle des Radioapparates, schien sich Charles neue Lorbeeren verdient zu haben.

Mrs. Harter, zuerst ganz Ablehnung, interessierte sich schließlich immer mehr für das Radio. Besondere Freude machte ihr der Apparat, wenn Charles nicht da war. Das Lästige an Charles war, daß er das Radio nicht in Ruhe lassen konnte. Mrs. Harter setzte sich am liebsten gemütlich in ihren Sessel und lauschte einem einzigen Sender, gleichgültig, ob er nun ein Symphoniekonzert oder den Lebensbericht der Lucrezia Borgia oder Wasserstandsmeldungen brachte ... Sie war ruhig und glücklich, in Frieden mit sich und der Welt.

Charles schaffte das nicht. Er mußte ständig an irgendwelchen Knöpfen drehen, und der klare Klang wurde durch quietschende und heulende Töne zerrissen, während er ruhelos versuchte, ausländische Sender »hereinzubekommen«. Aber an den Abenden, an denen Charles bei Freunden eingeladen war, genoß Mrs. Harter ihr neues Radio. Sie brauchte nur einen Knopf, um sich, behaglich in ihrem Sessel zurückgelehnt, am Programm zu erfreuen.

Drei Monate, nachdem der Radioapparat angeschlossen worden war, geschah das Geheimnisvolle zum erstenmal. Charles war zu einem Bridgeabend zu Bekannten gegangen.

Das Abendprogramm brachte Balladen. Eine bekannte Sopransängerin sang »Annie Laurie«, und in der Mitte des Liedes geschah das Seltsame. Zuerst war der Sender weg, dann hörte man einen Moment lang Musik, gleich darauf heftiges Brummen und Quieken, das eine Weile anhielt und dann erstarb. Tödliche Stille war eingetreten. Anschließend war wieder leises Brummen zu hören gewesen.

Mrs. Harter hatte die Empfindung gehabt, als höre sie »Sphärenmusik«. Dann plötzlich — klar und deutlich hatte sie eine Stimme, eine Männerstimme mit irischem Akzent, gehört!

»Mary — kannst du mich hören, Mary? Hier ist Patrick ...
Komm bald zu mir! Du bist doch bereit, nicht wahr, Mary?«
Daran anschließend hatten wieder die Klänge von »Annie
Laurie« das Zimmer gefüllt.

Mrs. Harter saß noch immer aufrecht in ihrem Sessel, die
Hände um beide Armlehnen geklammert. Hatte sie geträumt? —
Patrick! Patricks Stimme hatte, hier in diesem Zimmer, zu ihr
gesprochen ... Nein, das mußte ein Traum sein, vielleicht eine
Halluzination. Vielleicht war sie für ein oder zwei Minuten
eingeschlafen. Eine komische Sache, so etwas zu träumen —
daß ihr verstorbener Mann über den Äther zu ihr gesprochen
haben sollte ... Sie hatte sich sehr erschreckt. Was hatte er
doch gesagt?

»Komm bald zu mir! Du bist doch bereit, nicht wahr,
Mary?« Das konnte doch nur eine Vorahnung sein ... Herz-
schwäche ... ihr Herz. Schließlich war sie ja nicht mehr die
Jüngste.

»Es ist eine Vorahnung, jawohl, das ist es«, sagte Mrs.
Harter, erhob sich langsam und müde aus ihrem Sessel und
fügte etwas hinzu, das für sie charakteristisch war: »Und das
schöne Geld für den Lift zum Fenster hinausgeschmissen!«

Sie sprach mit niemandem über das, was sie gehört hatte,
aber in den darauffolgenden Tagen war sie voller Gedanken
und ständig geistesabwesend.

Dann kam der Geburtstag ihres Mannes ... Wieder war sie
allein zu Hause. Das Radio, das soeben noch Orchestermusik
gebracht hatte, erstarb mit derselben Plötzlichkeit wie beim
letztenmal. Wieder herrschte einen Moment lang unheimliche
Stille, das Gefühl des Überirdischen, und schließlich wieder
Patricks Stimme, doch diesmal nicht, wie sie im Leben gewesen war — nein, viel feiner, weit weg, mit einem merkwürdigen Klang.

»Patrick spricht zu dir, Mary. Komm jetzt bald ...!«

Dann Quietschen, Brummen, und die Orchestermusik war
wieder da, als sei nichts geschehen.

Mrs. Harter sah auf die Uhr. Nein, sie hatte nicht ge-
schlafen, diesmal bestimmt nicht. Wach und im vollen Besitz
ihrer Sinne hatte sie Patricks Stimme gehört. Es war keine
Halluzination, das war sicher. Verwirrt versuchte sie sich an
die Theorie zu erinnern, die Charles ihr von den Ätherwellen
erklärt hatte.

Konnte es möglich sein, daß Patrick wirklich zu ihr gesprochen hatte? Daß seine Stimme wirklich durch den Raum getragen werden konnte? Gewisse Wellenlängen seien noch nicht erforscht, hatte Charles gesagt und von einer Lücke in der Wellenskala gesprochen. Sie war überzeugt, daß Patrick zu ihr gesprochen hatte. Er wollte sie offenbar auf das vorbereiten, was bald kommen mußte.

Mrs. Harter läutete nach ihrer Haushälterin Elizabeth. Sie war eine große hagere Sechzigerin. Unter einer mürrischen Schale verbarg sie tiefe Zuneigung für ihre Herrin.

»Elizabeth«, sagte Mrs. Harter, als ihre Perle erschienen war, »Sie erinnern sich doch, was ich Ihnen gesagt habe. Die oberste Schublade meines Schreibtisches? Sie ist verschlossen. Der lange Schlüssel mit dem weißen Etikett paßt dazu. Darin liegt alles. Ich habe alles vorbereitet.«

»Vorbereitet? Was, Mrs. Harter?«

»Für mein Begräbnis«, fauchte Mrs. Harter. »Sie wissen sehr wohl, was ich meine, Elizabeth. Sie haben mir selbst dabei geholfen, alles in der Schublade zu verstauen.«

In Elizabeths Gesicht begann es merkwürdig zu arbeiten.

»Oh, gnädige Frau«, wimmerte sie, »so was dürfen Sie nicht sagen. Ich dachte, Sie hätten sich wieder besser gefühlt.«

»Irgendwann müssen wir alle gehen«, knurrte Mrs. Harter ärgerlich. »Alt genug bin ich schließlich. Also, Elizabeth, machen Sie sich nicht lächerlich. Wenn Sie unbedingt flennen wollen, gehen Sie hinaus und heulen Sie anderswo.«

Elizabeth zog sich zurück, unterdrückt schluchzend.

Mrs. Harter sah ihr liebevoll nach. Alte Gans, aber treu, dachte sie. Sehr treu. Ich muß mal überlegen — habe ich ihr nun hundert Pfund vermacht oder nur fünfzig? Jedenfalls sollten es hundert sein. Sie hat mich lange Zeit gut versorgt.

Diese Frage beschäftigte die alte Dame, und am nächsten Tag setzte sie sich an ihren Schreibtisch und schrieb ihrem Notar, er möchte ihr das Testament noch einmal zuschicken. Sie wolle es noch einmal überprüfen. Noch an demselben Tag geschah es, daß Charles beim Abendessen etwas sagte, das sie aufhorchen ließ.

»Übrigens, Tante Mary«, fragte er, »wer ist eigentlich der komische Alte oben im Gästezimmer? Ich meine das Bild über dem Kamin ... Der Alte mit dem Biberhut und dem altmodischen Backenbart?«

Mrs. Harter sah ihn streng und tadelnd an. »Das ist dein Onkel Patrick als junger Mann«, antwortete sie.

»Oh, Tante Mary, das tut mir leid. Ich wollte nicht taktlos sein.«

Mrs. Harter akzeptierte die Entschuldigung mit einem würdevollen Neigen ihres Kopfes.

Charles fuhr reichlich unsicher fort: »Ich habe mich nur gewundert, weißt du —«

Er hielt unentschlossen inne, und Mrs. Harter fragte scharf: »Was wolltest du sagen?«

»Ach, nichts«, entgegnete Charles hastig. »Jedenfalls nichts Vernünftiges.«

Eine Weile gab die alte Dame Ruhe, aber später am Abend kam sie noch einmal darauf zurück.

»Charles, ich möchte, daß du mir sagst, warum du mich nach dem alten Bild deines Onkels gefragt hast.«

Charles machte ein betretenes Gesicht.

»Aber ich sagte dir doch, Tante Mary, es ist nichts weiter — vielleicht eine dumme Einbildung meinerseits, völlig absurd.«

»Charles«, forderte jetzt Mrs. Harter gebieterisch, »ich bestehe darauf, es zu erfahren.«

»Nun gut, liebe Tante, wenn du unbedingt darauf bestehst. Ich habe mir eingebildet, ihn gesehen zu haben — den Mann auf dem Bild, meine ich. Er sah aus dem Fenster ganz rechts, als ich gestern abend nach Hause kam. Wahrscheinlich war es ein Lichteffekt. Ich fragte mich, wer es wohl sein könnte? Sein Gesicht war so — viktorianisch, wenn du verstehst, was ich damit sagen will. Aber Elizabeth sagte mir, es sei niemand da, kein Besucher oder Gast im Haus. Ich kam dann zufällig ins Gästezimmer und sah dort das Bild über dem Kamin. Es war der Mann, den ich zuvor am Fenster gesehen hatte. Ich glaube, das läßt sich ganz einfach erklären — mit Unterbewußtsein oder so etwas. Wahrscheinlich habe ich das Bild vorher schon einmal gesehen, ohne mir dessen bewußt geworden zu sein, und nun habe ich mir eingebildet, das Gesicht am rechten Fenster wiedererkannt zu haben.«

»Am rechten Fenster, sagst du?« fragte Mrs. Harter scharf.

»Ja, warum?«

»Nichts.«

Mrs. Harter schwieg. Sie war völlig verwirrt. Dieses Fenster gehörte zum Ankleidezimmer ihres Mannes.

Einige Tage später ging Charles wieder aus. Mrs. Harter saß allein vor dem Radio. Heute war der Todestag ihres Mannes, und ihre Gedanken waren weit weg — genauer gesagt: im Jenseits. Dabei war es mehr als natürlich, daß sie sich wieder eine Verbindung mit Patrick wünschte.

Obgleich ihr Herz schnell schlug, war sie nicht überrascht, als sich dasselbe Brummen wieder einstellte, die schon bekannte Unterbrechung eintrat und nach einer Pause mit absoluter Stille die schwache, weit entfernte Stimme ihres Mannes zu ihr sprach:

»Mary — bist du jetzt fertig? Am Freitag komme ich zu dir — am Freitag um halb zehn ... Hab keine Angst, es tut nicht weh ... Ich hole dich.«

Bei den letzten Worten setzte die Orchestermusik wieder ein — laut und mit fröhlichen Rhythmen.

Mrs. Harter saß einige Minuten ganz still da. Ihr Gesicht war schneeweiß geworden, und die Lippen hatten sich bläulich verfärbt.

Dann stand sie langsam auf und setzte sich an ihren Schreibtisch. Mit zittriger Handschrift schrieb sie folgende Zeilen:

»Heute abend, um 21 Uhr 15 habe ich deutlich die Stimme meines verstorbenen Mannes gehört. Er sagte mir, daß er mich am Freitag um halb zehn zu sich holen wolle. Wenn ich an diesem Tage und zu dieser Stunde sterben sollte, möchte ich, daß diese Tatsache bekanntgegeben wird — als eindeutiger Beweis dafür, daß Verbindungen mit der Totenwelt möglich sind. —

Mary Harter.«

Mrs. Harter las es noch einmal durch, steckte den gefalteten Bogen in einen Umschlag und adressierte ihn. Dann drückte sie die Klingel. Elizabeth erschien prompt. Mrs. Harter stand von ihrem Schreibtisch auf und überreichte ihr den Brief.

»Elizabeth«, sagte sie, »falls ich am Freitag sterben sollte, möchte ich, daß Sie das Dr. Meynell geben. Nein« — Elizabeth machte Anstalten zu protestieren —, »streiten Sie nicht mit mir herum. Sie haben mir selber oft genug gesagt, daß Sie an Vorahnungen glauben. Ich habe Ihnen in meinem Testament fünfzig Pfund vermacht. Ich will, daß Sie hundert erhalten.

Wenn ich nicht mehr selber zur Bank gehen kann, bevor ich sterbe, wird Mr. Charles das erledigen.«

Wie vorher schnitt Mrs. Harter Elizabeths tränenreiche Protestrede ab. Über ihren Entschluß sprach Mrs. Harter am nächsten Morgen mit ihrem Neffen.

»Bitte, denke daran, Charles. Falls mir etwas zustoßen sollte, will ich, daß Elizabeth fünfzig Pfund extra erhält.«

»Seit ein paar Tagen siehst du richtig finster drein, Tante Mary«, sagte Charles sorgenvoll. »Was ist denn los? Nach dem, was Dr. Meynell sagt, werden wir in zwanzig Jahren deinen hundertsten Geburtstag feiern.«

Mrs. Harter lächelte ihm liebevoll zu, aber sie antwortete nicht. Nach ein paar Minuten fragte sie: »Was hast du am Freitag vor, Charles?«

Der machte ein verdutztes Gesicht.

»Um ehrlich zu sein, die Ewings haben mich gebeten, mit ihnen Bridge zu spielen. Aber wenn es dir lieber ist, bleibe ich natürlich zu Hause.«

»Nein«, sagte Mrs. Harter mit Bestimmtheit. »Gewiß nicht, Charles. Du kannst am Freitag gern zusagen, ich möchte am liebsten allein sein.«

Charles sah sie stirnrunzelnd an, aber Mrs. Harter gab keine weitere Erklärung. Sie war eine mutige und sehr bestimmte alte Dame. Sie wußte, daß sie ihre letzte Erfahrung allein machen mußte.

Am Freitag war das Haus ganz still. Mrs. Harter saß am Abend wie gewöhnlich in ihrem hohen Lehnsessel vor dem Kamin. Sie hatte alle Vorbereitungen abgeschlossen. Am Morgen war sie noch zur Bank gegangen, hatte fünfzig Pfund in Scheinen abgehoben und sie Elizabeth überreicht, trotz tränenreicher Proteste. Dann hatte Mrs. Harter ihre persönlichen Wertsachen sortiert und das eine und andere Schmuckstück mit Namen von Freunden und Verwandten versehen. Sie hatte auch eine Liste mit Instruktionen für Charles aufgeschrieben. Ihr Worcester-Teeservice sollte ihre Kusine Emma erhalten. Die Kristallgläser sollte der junge William bekommen und so weiter.

Jetzt blickte sie auf das schmale Kuvert, das sie in der Hand hielt, und zog ein gefaltetes Dokument heraus. Es war ihr Testament, das ihr Mr. Hopkinson auf ihren Wunsch geschickt hatte. Sie hatte es bereits sorgfältig durchgelesen; jetzt sah sie es nochmals durch, um ihr Gedächtnis aufzufrischen. Es war ein kurzes, klares Dokument. Ein Vermächtnis von fünfzig Pfund für Elizabeth Marshall als Anerkennung für ihre treuen Dienste. Zwei Legate von je fünfhundert Pfund für ihre Schwester und ihren ältesten Vetter, der Rest für ihren geliebten Neffen Charles Ridgeway.

Mrs. Harter nickte mehrmals. Charles würde ein reicher Mann sein, wenn sie gestorben war. Soll er — er ist ein lieber, guter Junge. Immer freundlich, immer voller Zuneigung und stets ein fröhliches Wort zur Hand, um sie aufzumuntern.

Sie sah auf die Uhr: drei Minuten vor halb zehn.

Nun gut, sie war bereit. Und sie war ruhig — ganz ruhig. Obwohl sie sich diese Worte ständig wiederholte, schlug ihr Herz ängstlich und unregelmäßig. Immer wieder sagte sie vor sich hin, daß sie ganz ruhig sei, aber ihre Nerven waren über das erträgliche Maß hinaus angespannt.

Halb zehn! Das Radio war eingeschaltet. Was würde sie hören? Eine Stimme, die den Wetterbericht bekanntgab — oder die leise, weit entfernte Stimme, die ihrem Mann gehörte, der vor fünfundzwanzig Jahren gestorben war?

Doch sie hörte nichts von beiden. Statt dessen vernahm sie ein Geräusch, das sie zwar kannte, das ihr aber heute abend einen Schrecken einjagte, als griffe eine eisige Hand nach ihrem Herzen ... Ein Schlüssel wurde ins Haustürschloß gesteckt —

Ein kalter Hauch wehte durch den Raum. Mrs. Harter hatte keinen Zweifel mehr, es war soweit ... Sie hatte Angst, sie hatte nur noch Angst — lähmendes Entsetzen packte sie. Und plötzlich wurde ihr bewußt: Fünfundzwanzig Jahre sind eine lange Zeit! Patrick ist für sie jetzt ein Fremder!

Jetzt waren leise Schritte vor der Tür ... zaghaft, zögernd. Und nun öffnete sich geräuschlos die Tür ...

Mrs. Harter erhob sich, ihre Beine zitterten — leicht von einer Seite auf die andere schwankend, starrte sie auf die offene Tür. Aus ihren Fingern glitt etwas in den Kamin.

Sie wollte schreien, doch sie konnte nicht — eine wohlbekannte Gestalt mit einem altmodischen Backenbart und in unmoderner Kleidung stand im Dämmerlicht auf der Türschwelle: Patrick!

Ihr Herz spürte einen schmerzhaften Riß, flatterte noch wie ein Vögelchen am Boden — dann Stille. Sie fiel zu Boden.

Elizabeth fand sie eine Stunde später.

Sofort rief sie Dr. Meynell an. Charles Ridgeway wurde hastig von seinem Bridgeabend zurückgerufen. Man konnte nichts mehr tun. Mrs. Harter war bereits dort, von wo es keine Rückkehr gibt.

Zwei Tage später erinnerte sich Elizabeth an den Brief, den ihre Herrin ihr für Dr. Meynell gegeben hatte. Er las ihn mit großem Interesse und zeigte ihn Charles Ridgeway.

»Ein komischer Zufall«, sagte Dr. Meynell. »Es scheint ziemlich sicher zu sein, daß Ihre Tante Halluzinationen von der Stimme ihres verstorbenen Mannes hatte. Sie muß sich darüber so erregt haben, daß ihre Aufregung tödlich war, als der Zeitpunkt kam. Sie starb an einem Herzschlag.«

»Autosuggestion?« fragte Charles.

»Möglich. Ich werde Sie das Ergebnis der Autopsie sofort wissen lassen, obwohl ich keinerlei Zweifel habe. Unter diesen Umständen ist eine Autopsie jedoch notwendig — natürlich eine reine Formsache.«

Charles nickte verständnisvoll. Längst hatte er einen bestimmten Draht von der Rückseite des Radioapparates hinauf in sein Zimmer im oberen Stockwerk entfernt. Auch einen Backenbart hatte er längst verbrannt. Ein paar viktorianische Kleidungsstücke, die seinem verstorbenen Onkel gehörten, lagen schon lange wieder in der Truhe auf dem Speicher.

Soweit er übersehen konnte, war er vollkommen sicher. Sein Plan, der sich zuerst schattenhaft in seinem Kopf zu formen begonnen hatte, als Dr. Meynell ihm sagte, seine Tante könne bei großer Vorsicht noch viele Jahre leben, war großartig geglückt. Nur ein plötzlicher Schock, hatte Dr. Meynell zu Charles damals gesagt — zu diesem liebenswürdigen jungen Mann, an dem die alte Dame so gehangen hatte.

Charles lächelte.

Als der Arzt gegangen war, machte sich Charles methodisch an die Erfüllung seiner Pflichten. Die Vorbereitungen für das Begräbnis waren zu treffen. Für Verwandte, die von weit kamen, mußte er Zugverbindungen heraussuchen. In ein oder zwei Fällen würden sie sogar über Nacht oder für zwei Nächte bleiben. Charles erledigte alles tüchtig und gewissenhaft, während ihn seine eigenen Gedanken begleiteten. Könnte es sein, daß irgend jemand etwas ahnte?

Niemand! Am allerwenigsten hatte seine tote Tante gewußt, in welch schwieriger Lage er steckte. Seine Machenschaften, die er vor allen hatte sorgfältig verbergen können, hatten ihn so weit gebracht, daß ihm zumindest Gefängnis drohte, wenn er nicht bald seine Schulden bezahlen konnte. Er mußte innerhalb weniger Monate eine beträchtliche Geldsumme aufbringen. Nun — das würde jetzt in Ordnung kommen. Charles war zufrieden. Dank seinem Scherz — na ja, etwas makaber war er schon ... war er gerettet. Jetzt würde er bald ein reicher Mann sein. Darum brauchte er sich nicht mehr zu sorgen, denn Mrs. Harter hatte niemals ein Geheimnis aus ihrer Absicht gemacht.

Elizabeth steckte den Kopf zur Tür herein und teilte ihm mit, daß Mr. Hopkinson gekommen sei und ihn zu sprechen wünsche.

Genau zur rechten Zeit, dachte Charles. Er unterdrückte eine Lust zu pfeifen und zwang sein Gesicht zu dem der Lage angemessenen Ernst. Dann ging er in die Bibliothek hinunter. Er begrüßte den pedantischen alten Herrn, der über ein Vierteljahrhundert hindurch der juristische Berater seiner Tante gewesen war.

Der Notar nahm auf Charles' Einladung hin Platz und begann nach höflichem Räuspern sogleich das Berufliche zu besprechen.

»Ich habe den Sinn des Briefes nicht ganz verstanden, Mr. Ridgeway, den Sie mir schrieben. Sie scheinen anzunehmen, die verstorbene Mrs. Harter habe Sie als ihren Alleinerben eingesetzt?«

Charles starrte ihn an.

»Ja, sicher — meine Tante hat es mir doch selber gesagt.«

»O ja, gewiß. Sie *waren* auch als Alleinerbe eingesetzt.«

»Waren?«

»Das sagte ich. Mrs. Harter schrieb mir aber vor ein paar Tagen, ich solle ihr das Testament am vergangenen Donnerstag wieder zuschicken.«

Charles hatte ein unbehagliches Gefühl, die Vorahnung von etwas Unerfreulichem.

»Zweifellos wird es sich unter ihren Papieren finden lassen«, fuhr der Notar milde fort.

Charles sagte nichts. Er hütete seine Zunge. Er hatte schon Mrs. Harters Papiere sorgfältig durchsucht, um genau zu wissen, daß kein Testament dazwischenlag. Erst nach einigen

Minuten, in denen er seine Selbstbeherrschung wiedererlangt hatte, sagte er das. Seine Stimme klang unwirklich, und er hatte das Gefühl, kaltes Wasser tropfe seinen Rücken hinunter.

»Hat jemand ihre persönlichen Sachen durchsucht?« fragte der Notar.

Charles antwortete, daß die Haushälterin, Elizabeth, das getan hätte. Auf Hopkinsons Vorschlag hin wurde Elizabeth gerufen. Sie erschien prompt, mürrisch und aufrecht und beantwortete die Fragen, die man ihr stellte.

Sie hatte die Kleider und alle persönlichen Sachen ihrer Herrin durchsucht. Sie war sicher, daß darunter kein juristisches Dokument gewesen war. Sie wußte, wie das Testament aussah — ihre arme Herrin hatte es am Morgen vor ihrem Tode noch in der Hand gehalten.

»Täuschen Sie sich da auch nicht?« fragte der Notar scharf.

»Nein, Sir, bestimmt nicht. Sie sagte es mir selbst. Und sie gab mir fünfzig Pfund in Scheinen. Das Testament war in einem länglichen, blauen Umschlag.«

»Ja, das stimmt«, sagte Hopkinson.

»Jetzt fällt mir auch wieder ein«, fuhr Elizabeth fort, »dieses blaue Kuvert lag am Morgen nach ihrem Tod auf diesem Tisch, aber leer. Ich legte es dann auf den Schreibtisch.«

»Ja, ich erinnere mich, es da gesehen zu haben«, bestätigte Charles.

Er stand auf und ging zum Schreibtisch. Nach ein paar Augenblicken kam er mit einem Kuvert in der Hand zurück, das er Hopkinson reichte. Der prüfte es und nickte.

»Das ist der Umschlag, in dem ich ihr das Testament am vergangenen Donnerstag schickte.«

Beide Männer sahen Elizabeth fest an.

»Wünschen Sie noch etwas, Sir?« fragte sie höflich.

»Nein, im Augenblick nichts mehr, danke«, antwortete der Notar. »Moment mal! Sagen Sie — war im Kamin an jenem Abend Feuer?«

»Ja, Sir, wir machen jeden Abend Feuer.«

»Danke, das genügt.«

Elizabeth verschwand. Charles beugte sich vor, seine zitternde Hand lag noch auf dem Tisch.

»Was denken Sie darüber? Was wollen Sie tun?«

Hopkinson hob die Schultern.

»Da können wir nur hoffen, daß das Testament noch irgendwo auftaucht. Wenn nicht —«

»Was dann?«

»Dann, fürchte ich, gibt es nur eine Schlußfolgerung: Ihre Tante ließ sich das Testament schicken, um es zu vernichten. Da sie nicht wollte, daß Elizabeth dadurch etwas verlöre, gab sie ihr die fünfzig Pfund in bar.«

»Aber warum?« schrie Charles verzweifelt. »Warum denn?«

Hopkinson räusperte sich, trocken und unbeteiligt. »Hatten Sie — äh — vielleicht eine Auseinandersetzung mit Ihrer Tante, Mr. Ridgeway?« murmelte er.

Charles schnappte nach Luft.

»Nein, wirklich nicht«, beteuerte er leidenschaftlich. »Wir verstanden uns ausgezeichnet, wir empfanden die aufrichtigste Zuneigung füreinander — bis zum Schluß.«

»Aha.« Hopkinson sah ihn nicht an.

Mit einem Schock wurde Charles klar, daß der Notar ihm nicht glaubte. Wer mochte wissen, was dieser Paragraphenhengst alles ahnte? Vielleicht waren ihm Gerüchte von Charles' Schulden zu Ohren gekommen. Vielleicht dachte er, daß auch seine Tante davon gewußt und ihr Neffe deswegen Streit mit ihr gehabt hatte?

Charles machte die bittersten Minuten seines Lebens durch. Seine Lügen hatte man ihm geglaubt. Jetzt, da er die Wahrheit sagte, wurde an seinen Worten gezweifelt. Welche Ironie des Schicksals!

Natürlich hatte seine Tante das Testament nicht verbrannt, natürlich nicht. Sie hatte es doch in der Hand gehalten...

Eine plötzliche Erkenntnis durchzuckte ihn. Wie war doch das Bild? Vor seinem geistigen Auge tauchte es wieder auf... Die alte Dame sprang auf, eine Hand auf das Herz gepreßt — aus der anderen glitt etwas, segelte etwas Weißes in die rote Glut des Kamins...

Charles' Gesicht wurde aschfahl. Er hörte eine heisere Stimme, seine eigene, fragen: »Und wenn das Testament nicht gefunden wird?«

»Dann existiert noch ein früheres von Mrs. Harter. Es ist schon Jahre alt. Darin vermacht Mrs. Harter alles Vermögen ihrer Nichte Miriam Harter, jetzt Miriam Robinson.«

Was sagte der alte Idiot da? Miriam...? Miriam mit ihrem

komischen Ehemann und ihren vier rotznasigen Gören ...
Sein ganzer kluger Plan — für Miriam?

Das Telefon schrillte grell unmittelbar neben Charles. Er
hob den Hörer ab. Es war der Arzt. Seine warme, freundliche
Stimme sagte: »Ridgeway, sind Sie's? Sie wollen doch sicherlich den Befund erfahren. Die Autopsie ist gerade beendet
worden. Todesursache wie ich vermutet habe. Aber ihr Herz
war schon viel schwächer, als ich damals gedacht hatte. Bei
allergrößter Vorsicht hätte sie höchstens noch zwei Monate zu
leben gehabt. Vielleicht ist es ein Trost für Sie.«

»Verzeihung«, sagte Charles. »Würden Sie das bitte noch
einmal sagen?«

»Sie hätte auf jeden Fall nicht mehr länger als zwei Monate
leben können«, wiederholte der Arzt ein wenig lauter. »Alles
hat auch wieder sein Gutes, mein lieber Junge, sehen Sie —«

Charles legte den Hörer langsam auf die Gabel zurück. Mit
halbem Bewußtsein hörte er die weit entfernte Stimme des
Notars.

»Mein Gott, mein lieber Ridgeway, ist Ihnen nicht wohl?
Sind Sie krank?«